对外汉语本科系列教材

语言技能类 一年级教材

汉语教程 修订本

HANYU JIAOCHENG

第二册

初版

主　编：杨寄洲
副主编：邱　军
编　者：杨寄洲　邱　军　朱庆明
英　译：杜　彪
插　图：丁永寿

修订本

修　订：杨寄洲
英　译：杜　彪

北京语言大学出版社
BEIJING LANGUAGE AND CULTURE
UNIVERSITY PRESS

（京）新登字 157 号

图书在版编目 (CIP) 数据

汉语教程·第二册·上/杨寄洲主编. –修订本.
—北京：北京语言大学出版社，2007 重印
（对外汉语本科系列教材）
ISBN 978－7－5619－1636－0

Ⅰ. 汉…
Ⅱ. 杨…
Ⅲ. 汉语－对外汉语教学－教材
Ⅳ. H195.4

中国版本图书馆 CIP 数据核字（2006）第 044207 号

书　　名：汉语教程·第二册·上
责任印制：陈　辉

出版发行：北京语言大学出版社
社　　址：北京市海淀区学院路 15 号　邮政编码 100083
网　　址：www.blcup.com
电　　话：发行部　82303650/3591/3651
　　　　　编辑部　82303395
　　　　　读者服务部　82303653/3908
印　　刷：北京中科印刷有限公司
经　　销：全国新华书店

版　　次：2006 年 7 月第 2 版　2007 年 6 月第 3 次印刷
开　　本：787 毫米×1092 毫米　1/16　印张：11.25
字　　数：144 千字　　印数：13001－33000 册
书　　号：ISBN 978－7－5619－1636－0 / H·06084
定　　价：28.00 元

凡有印装质量问题，本社负责调换。电话：82303590

前　　言

这是《汉语教程》的修订版。《汉语教程》自 1999 年出版以来，被国内外很多教学单位选作教材。此次修订，我们进行了较大的修改和调整，使其更符合教学需要。

本教程的适用对象是零起点的汉语初学者。

第一册 1~30 课。分上、下两册，每册 15 课。建议课时为：1~15 课每课 2 学时，26~30 课每课 4 学时。（每学时 50 分钟）

第二册 1~20 课。分上、下两册，每册 10 课。建议课时为：每课 4 学时。

第三册 1~26 课。分上、下两册，每册 13 课。建议课时为：每课 6~7 学时。

全书共 76 课，在正规的教学单位，可使用一年。当然，各教学单位完全可以根据自己的教学对象和教学目标，灵活掌握。

编写这套教材的指导思想是，以语音、语法、词语、汉字等语言要素的教学为基础，通过课堂讲练，逐步提高学生听说读写的言语技能，培养他们用汉语进行社会交际的能力。同时也为他们升入高一年级打下基础。

本教材的体例是：一、课文；二、生词；三、注释；四、语音、语法；六、练习。

一、课文

本书第一二册（1~50 课）的课文以实用会话为主，也编写了一些叙述性短文。第三册（51~76 课）都是选编的叙述性短文。

课文是教材最重要的部分，也是课堂教学的主要内容。它是语法和词语的语用场，语法只是本教程课文编写的结构支撑，是一条暗线。离开课文，语法将无所依凭。初级阶段的汉语课堂教学，应该借助语法从易到难的有序性和渐进性，把句子的结构、语义和语用这三者结合起来。要让学生了解一个句子的使用语境。也要逐步让学生知道，在一定语境中怎么用汉语表达。

我们的目的是以语法为指导去学习课文，通过朗读课文、背说、写话等教学手段，提高学生听说读写的言语技能和运用汉语进行社会交际的能力。课堂上要用主要的精力带领学生听课文、读课文和说课文。教材中的生词、注释和语法说明，都是为课文教学服务的。

本书共出生词 2800 多个。这些生词充分照顾到了词汇大纲的规定。每课都有一定的量的控制。课堂上要把生词放在句子中去讲练。因为只有句子和课文才能规定词义的唯一性。

二、注释

注释是对一些语言点和文化背景知识的说明。

三、语法

本书的语法虽然不刻意追求系统性，但全书的语法安排是有章可循的，是严格按照由易到难，循序渐进的原则编排的。因此，如果不完成第一册和第二册的教学任务，进入第三册教学是困难的。需要强调的是，我们这套教材主要是借助汉语语法结构讲课文的，是以语法为指导，教学生说中国话的。因此，语法的讲解力求简明扼要，从结构入手，重点阐释其语义和语用功能，教学生怎么运用语法去说，去写，去表达。课堂上，要通过图片、电脑软件、动作等各种形象直观的教学手段，演示语法点，使学生感悟和理解每个语法点的意义、功能和使用语境，把语法、语境与交际紧密结合起来，提高学生运用汉语进行交际的能力。

四、语音

本教程用 10 课的篇幅集中进行语音教学。但严格说来，语音语调训练应该贯穿初级阶段课堂教学的全过程。语音训练的重要性，怎么强调都不过分。需要说明的是，到了句型、短文阶段，语音教学当然应该结合课文的朗读和背说来进行。我们在练习里设置的语音练习项目，只是起个提示作用。

五、练习

本教材的练习设计注意遵循理解、模仿、记忆、熟巧、应用这样一个言语学习和习得规律。练习项目包含了理解性练习，模仿性练习和交际性练习等，既考虑到了课堂教学的需要，也考虑到了自学者自学的需要。教师可以根据自己教学的实际灵活使用。自第二册开始，为部分练习提供了答案，供使用者参考。

对外汉语教学不同于母语教学的一点是，语言要素的教学不能孤立进行，语言要素教学过程本身就是言语技能和言语交际技能训练的过程。课堂教学是师生互动，讲练结合的过程。无论是语音教学还是语法句型和词语语段教学都要贯彻实践第一，交际为主的原则，精讲多练，这样才能收到良好的教学效果。

此次修订，编者听取了不少专家和教师的意见和建议，北京语言大学出版社也给予了大力的支持，在此，表示诚挚的感谢。同时，还要向帮助和支持我完成《汉语教程》初版编写工作的朋友和同事赵金铭、邱军、李宁、隋岩、丁永寿等表示诚挚的感谢。

本教程第三册的短文，大都选自报纸杂志，编者根据教学需要进行了加工改写。在此，也向原文的作者表示感谢之忱。

教材的疏漏之处在所难免。欢迎使用本教程的教师和同学们提出意见，以便及时改正。

杨寄洲
2005 年 11 月

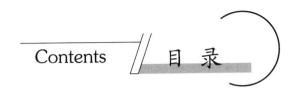

Contents 目 录

Lesson 1

第一课	我比你更喜欢音乐

一 课文 Kèwén ● Text ·································

（一）北京比上海大吧

山本：田芳，上海怎么样？我想坐火车去上海旅行。

田芳：上海很好，这几年变化很大。今年暑假我还在那儿玩了一个多月呢。我的一个同学家就在上海。

山本：上海比北京大吧？

田芳：不，上海没有北京大，不过人口比北京多。上海是中国人口最多的城市。这几年，增加了不少新建筑，上海比过去变得更漂亮了。

山本：上海的公园有北京的多吗？

田芳：上海的公园没有北京的多，也没有北京的公园这么大。

山本：上海的冬天是不是比北京暖和一点儿？

田芳：上海不一定比北京暖和。

山本：可是，我看天气预报，上海的气温比北京高得多。

田芳：是，上海的气温比北京高好几度，不过因为屋子里没有暖气，所以感觉还没有北京暖和。

山本：上海人家里没有暖气？

田芳：一般的家庭没有，不过旅馆和饭店里有。

（二）我比你更喜欢音乐

（林老师和王老师在谈音乐……）

林老师：王老师，你喜欢音乐吗？

王老师：喜欢啊！我是个音乐迷，光 CD 就有好几百张呢。

林老师：我也很喜欢音乐，也许比你更喜欢。你喜欢古典音乐还是喜欢现代音乐？

王老师：我喜欢古典音乐。喜欢听世界名曲，还喜欢听民歌。

林老师：我也喜欢古典音乐。你喜欢流行歌曲吗？

王老师：怎么说呢？可能没有你们年轻人那么喜欢。我觉得流行歌曲的歌词没有民歌写得好。

林老师：有些流行歌曲的歌词写得还是不错的。

王老师：可是，我还是觉得民歌的歌词好。你听咱们的民歌，"在那遥远的地方，……"，写得多好！

1. 变化 （动、名） biànhuà to change；change

2. 暑假 （名） shǔjià summer vacation

3. 还 （副） hái also；as well；too；in addition；still；yet

4. 比 （介） bǐ than；（superior or inferior）to

5. 人口 （名） rénkǒu population

6. 最 （副） zuì most；best；least；to the highest or lowest degree

7. 城市 （名） chéngshì city

8. 增加 （动） zēngjiā to increase

9. 建筑 （动、名） jiànzhù to construct；architecture

10. 过去 （名） guòqù past

11. 变 （动） biàn to change；to become different

12. 更 （副） gèng more；even more

13. 漂亮 （形） piàoliang beautiful

14. 冬天 （名） dōngtiān winter

15. 暖和 （形） nuǎnhuo warm

16. 可是 （连） kěshì but

17. 暖气 （名） nuǎnqì heating（system）

18. 天气 （名） tiānqì weather

19. 预报 （动、名） yùbào to forecast；forecast

20. 气温 （名） qìwēn temperature

21.	高	（形）	gāo	tall；high
22.	度	（量）	dù	degree
23.	屋子	（名）	wūzi	room
24.	感觉	（动、名）	gǎnjué	to feel；sense
25.	家庭	（名）	jiātíng	family
26.	旅馆	（名）	lǚguǎn	hotel
27.	饭店	（名）	fàndiàn	hotel；restaurant
28.	迷	（名、动）	mí	fan；to indulge in；to be crazy about
29.	光	（副）	guāng	only
30.	也许	（副）	yěxǔ	perhaps；maybe；probably
31.	古典	（名）	gǔdiǎn	classical
32.	现代	（名、形）	xiàndài	modern times；modern
33.	世界	（名）	shìjiè	world
34.	名曲	（名）	míngqǔ	a famous song or melody
35.	民歌	（名）	míngē	folk song
36.	流行	（形）	liúxíng	popular
37.	歌曲	（名）	gēqǔ	song
38.	年轻	（形）	niánqīng	young
39.	歌词	（名）	gēcí	verse
40.	有些	（代）	yǒuxiē	some
41.	遥远	（形）	yáoyuǎn	distant

三 注释 Zhùshì ● Notes

（一）怎么说呢 How/What should I say?

表示不好说，不知怎样说。

It means "it's not very easy to describe".

（二）我还是喜欢古典音乐 I still prefer classical music.

"还是"，副词。表示对两个已知的事物比较后的选择。有时句中没有表示比较的对象，但心理上有比较对象。例如：

"还是" is an adverb here, which indicates that a choice is made after comparison of two things. Sometimes the object of comparison does not appear in the sentence but there is such an object in the mind of the speaker, e. g.

(1) A：我们去上海还是去西安?

　　B：还是去西安吧。

(2) 我们还是坐火车去吧。（已经与坐飞机或坐汽车等做了比较）

(3) 我还是喜欢古典音乐。（已与现代音乐或流行音乐等做了比较）

（三）这几年变化很大 It has changed tremendously in these years.

"这几年"的意思是"最近几年"。疑问代词"几"在这里表示 10 以下的概数。课文中"上海的气温比北京高好几度"的"几"也表示概数。

"这几年" means "最近几年" (in recent years). The interrogative pronoun "几" in this context refers to an approximate number below 10. In the text "上海的气温比北京高好几度" (The temperature in Shanghai is a few degrees higher than in Beijing), "几" is also an approximate number.

（四）上海的气温比北京高得多

The temperature in Shanghai is a lot higher than that in Beijing.

"……得多"用在比较句中，表示事物之间的差别大。

"得…多" is used in a comparative construction, suggesting that the difference between two things is vast.

（1）这件比那件贵得多。

（2）这个教室比那个大得多。

四 语法 Yǔfǎ ● Grammar ·····················

（一）比较句 Comparative structures

1. "比"字句 The "比" sentence

比较两个事物之间的差别时用"比"字句：A 比 B……。

The "比" sentence is used to show the difference between two persons or things through a comparison in the pattern "A 比 B……".

> A 比 B + 形容词
>
> A 比 B + Adjecfive

（1）飞机比汽车快。

（2）西瓜（xīguā：watermelon）比苹果大。

（3）大象（dàxiàng：elephant）比熊猫（xióngmāo：panda）重。

在"比"字句里，如果谓语是形容词，形容词前不能用"很、真、非常"等副词。

In a "比" sentence, if the predicate is an adjective, it cannot be preceded by such adverbs as "很", "真", "非常" etc., e. g.

不能说：＊飞机比汽车很快。

＊西瓜比苹果很大。

A 比 B + 动词 + 宾语
A 比 B + Verb + Object

(4) 她比我喜欢音乐。

(5) 我比她喜欢学习。

如果动词带状态补语，"比"可以放在动词前，也可放在补语前。例如：

If the verb has a complement of state, "比" can be placed either before the verb or before the complement, e. g.

(6) 他比我考得好。/他考得比我好。

(7) 我今天比你来得早。/我今天来得比你早。

如果要表达事物间大概的差别时，常常用"一点儿"、"一些"表达差别不大；用"多"、"得多"、"多了"等表达差别大。例如：

When we want to tell the difference of things in a rough manner, we use "一点儿" and "一些" for limited difference, and "多"，"得多"、"多了" for huge difference, e. g.

（8）上海冬天是不是比北京暖和一点儿？

（9）这件比那件贵多了。

（10）她跑得比我快得多。

"比" 的否定是 "没有"，不是 "不比"。例如：
The negative form for "比" is "没有", not "不比", e. g.

$$\text{A 比 B + C} \quad \rightarrow \quad \text{B 没有 A + C}$$

（11）飞机比火车快。→ 火车没有飞机快。

（12）西瓜比苹果大。→ 苹果没有西瓜大。

（13）大象比熊猫重。→ 熊猫没有大象重。

"不比" 只在否定或反驳对方的话时才用。例如：
"A 不比 B……" is only used to express disagreement or refutation.

（14）A：我看你比麦克高。

　　　B：我不比他高。我们俩差不多高。

（15）A：冬天上海比北京暖和。

　　　B：冬天，上海不比北京暖和。

② A 有/没有 B（这么/那么）+ 形容词　…as…as…/not as…as…

动词 "有" 表示达到或估量。

The verb "有" may be used to denote "as…as…"

肯定式 The affirmative：A 有 B +（这么/那么）+ 形容词
否定式 The negative：　A 没（有）B +（这么/那么）+ 形容词

肯定式多用于疑问或反问；否定式多用于陈述句。

The affirmative form is normally used in questions or rhetorical questions while the negative form is used mostly in indicative sentences，e. g.

（1）A：她有你（这么）高吗？

　　　B：她没有我（这么）高。

（2）A：你这次考得怎么样？

　　　B：我没有你考得（那么）好。

（3）我们那儿冬天没有这儿（这么）冷。

③ "更"和"最"　　"更（more）" and "最（most）"

熊猫比狗大。大象比熊猫更大。大象最大。

苹果比葡萄重。西瓜比苹果更重。西瓜最重。

汽车比自行车快。飞机比汽车更快。飞机最快。

(二) 数量补语　The complement of quantity

比较事物间数量、程度的具体差别时用数量补语。数量补语要放在形容词后边。语序是：

A complement of quantity is used to show specific difference(s) in quantity or degree between two things. A complement of this type is placed after an adjective. The grammatical order:

> ### A 比 B ＋ 形容词 ＋ 数量词（补语）
> A 比 B ＋ Adjective ＋ Numeral-classifier compound（Complement）

（1）罗兰比我跑得快五分钟。

（2）他比弟弟大两岁。

(三) 感叹句　Exclamatory sentences

感叹句表示感叹。

Exclamatory sentences express exclamations.

1. 太／真 ＋ 形容词

太（too）／真（so）＋ Adjective

（1）太好了！

（2）真好！

（3）这儿的风景真美！

感叹句不用于客观描写。例如：

Exclamatory sentences are not used in objective descriptions, e. g.

不能说：＊他是一个真好的老师。

应该说：他是一个很好的老师。

2. 好／多 ＋ 形容词

好（so）／多（how）＋ Adjective

句末常加"啊"。

Exclamatory sentences with the pattern often have an "啊" at the end, e. g.

（1）他写得多好啊！

（2）这个公园好漂亮啊！

（3）你听，这支歌的歌词写得多好啊！

五 练习 Liànxí ● Exercises ·················

① 语音　Phonetics

（1）辨音辨调　Pronunciations and tones

chéngshì	chéngshí	tiānqì	diànqì
yùbào	yìbào	qìwēn	qùwén
fàndiàn	fángjiān	chàngpiàn	chángjiàn
míngqǔ	míngqì	liúxíng	lǚxíng

（2）朗读　Read out the following phrases

歌迷	球迷	影迷	京剧迷	舞迷
高得多	大得多	好得多	多得多	漂亮得多

飞机比火车快	火车没有飞机快
田芳比张东考得好	张东没有田芳考得好
麦克跑得比我快	爱德华跑得比麦克更快
今天比昨天暖和	今天的气温比昨天高两度

② 替换　Substitution exercises

（1）A：这个歌怎么样？

　　 B：这个歌比那个好听。

张	画儿	贵
件	大衣	长
个	房间	大
辆	汽车	新
个	地方	安静
座	楼	高

(2) A：这件大衣比那件贵吗？

B：这件没有那件贵。

这台电脑	那台	好
这辆汽车	那辆	便宜
这间屋子	那间	大
这一课	那一课	难
你	弟弟	高
他	你	大

(3) A：那儿的气温有北京高吗？

B：比北京高得多。

这个教室	那个	大
弟弟	你	高
这个城市的人口	北京	多
这个公园	那个	漂亮
这个手机	那个	贵
这辆车	那辆	便宜

（4）她<u>唱</u><u>歌</u>唱得比我<u>好</u>。

写	汉字	快
做	练习	认真
跳	舞	好
看	书	多
读	课文	熟
说	英语	流利

（5）A：你们谁<u>考</u>得<u>好</u>?

　　B：我没有他<u>考</u>得<u>好</u>。

学	好
说	流利
唱	好
跑	快
打	好
写	漂亮

（6）A：<u>你比妹妹大几岁</u>?

　　B：<u>大</u><u>两</u><u>岁</u>。（我比妹妹大<u>两岁</u>。）

她	你	快	两分钟
这台电脑	那台	贵	一千元
这个屋子	那间	大	二十平方米
这条河	那条	长	一百公里
今天的气温	昨天	高	三度
这件	那件	便宜	五十元

选词填空 Choose the right words to fill in the blanks

A. 气温　预报　最　名曲　流行　迷　增加　暖和

(1) 他＿＿＿＿＿＿喜欢看足球比赛。

(2) 我们国家的冬天比这儿＿＿＿＿＿＿。

(3) 我们班又＿＿＿＿＿＿了两个新同学。

(4) 他是一个足球＿＿＿＿＿＿，要是晚上电视里有足球比赛，
他可以不睡觉。

(5) 我没有你那么喜欢民歌，我喜欢＿＿＿＿＿＿歌曲。

(6) 这是一支世界＿＿＿＿＿＿。

(7) 天气预报说，今天最高＿＿＿＿＿＿是零下一度。

(8) 天气＿＿＿＿＿＿说得不一定对。

B. 冷一点儿　　　深一点儿　　　高三度　　　大两岁
贵得多　　　早得多　　　高得多　　　快得多

(1) 北京比我们那儿＿＿＿＿＿＿。

(2) 我姐姐比我＿＿＿＿＿＿。

(3) 每天早上她都比我起得＿＿＿＿＿＿。

(4) 他比我跑得＿＿＿＿＿＿。

(5) 这件羽绒服比那件＿＿＿＿＿＿。

(6) 这件的颜色比那件＿＿＿＿＿＿。

(7) 明天上海的气温比北京＿＿＿＿＿＿。

(8) 今天的气温比昨天＿＿＿＿＿＿。

(1) 爸爸每天都很晚_____下班，今天下午五点_____下班了。

(2) 明天我下了课_____去看她。

(3) 您的话我没听懂，请您_____说一遍，好吗？

(4) 老师_____说了一遍，我_____听懂。

(5) 上星期我已经买了一本，今天我_____买了一本。

(6) 要是你不想看，我们_____回学校吧。

(7) 看见她哭了，我_____问："你是不是想家了？"

(8) 你怎么现在_____来，晚会早_____开始了。

(1) 这课的语法你听_____了没有？

(2) A：我叫你，你怎么不回答？

　　B：对不起，我正听录音呢，没听_____。

(3) A：你看_____麦克了没有？

　　B：看_____了，他正在操场跑步呢。

(4) A：老师，这些练习题我做_____了没有？

　　B：你没都做_____，做_____了三道题，做错了一道题。

(5) 快开_____窗户吧，屋子里太热了。

(6) 关_____电视吧，已经十二点了。

(7) A：我给你的书你看_____了没有？

　　B：还没有看_____呢。

(8) 这课课文有点儿难，我没有看_____。

4 按照例句做练习 Practise after the models

例：小张　　　小李　　　小王

20 岁　　　　19 岁　　　　18 岁

A：小李比小王大吗？

B：小李比小王大。

A：小张比小李大吗？

B：小张比小李更大？

A：小张比小李大几岁？

B：大一岁。

A：谁最大？

B：小张最大。

	小张	小李	小王
身高	180cm	175cm	170cm
体重	70kg	65kg	60kg
成绩	100 分	95 分	90 分
写字	1 分钟写 24 个字	1 分钟写 22 个字	1 分钟写 20 个字

5 完成会话 Complete the following dialogues

(1) A：哪座楼高？

B：＿教楼比宿舍楼高＿

A：＿谁最高＿＿＿？

B：那座楼比这座楼高 20 米。

宿舍楼　　教学楼

40m　　60m

(2)

长江6300公里
黄河5464公里

A：黄河有长江长吗？

B：黄河没有长江长。

A：长江比黄河长 几么里 ？

B：长江比黄河长 836 么里 。

(3)

6000元 JIA TI 这台
NA TI 那台 8000元

A：那台电脑有这台贵吗？

B：那台电脑有这台贵 。

A：这台电脑比 那台便宜吗 ？

B：这台电脑比 那台便宜 。

(4)

15公斤 20公斤

红 黑

A：红箱子有黑箱子重吗？

B：红箱子有黑箱子重_____。

A：黑的比红的 重吗_____？

B：黑箱子比红的重5公斤。

(5)

A：麦克比玛丽起得早吗？

B：麦克 ~~比~~ 没有 玛丽起得早_____。

A：麦克比玛丽晚起 多长时间_____？

B：麦克比玛丽晚起 两个小时_____。

6 改错句　Correct the sentences

(1) 他们的生活比以前很好。
shenghuo yiqian 更 geng

他们的生活比以前更好_____

(2) 玛丽考了成绩比我考了成绩好。
kao 的 chengji 的

玛丽考的成绩比我考的成绩好。_____

(3) 她说比我好得多。

她说得比我好多。_____

(4) 弟弟比我不高。

弟弟比我高。弟弟_____

(5) 他们比我们不来得早。
没有

他们没有我们来得早。_____

(6) 麦克比我一点儿高。
　　　　高

_____

⑦ 根据实际情况回答下列问题

Answer the questions according to actual situations

(1) 北京冬天最冷是零下 14 度，你们国家的冬天比北京冷吗？

_____

(2) 你住的城市东西比中国的便宜吗？

_____

(3) 语言大学有 10000 多学生，你们学校的学生比语言大学多吗？
　　　yǔ yán
Launga univere have 10000 total Students.
你们学校的学没

(4) 玛丽语法考了 95 分，你考得比她好吗？

_____

8300
600

8900
400

9300
200

(9500)

(5) 爱德华一分钟能写 18 个汉字，你写得比他快吗？

_____

(6) 山本每天 7 点 45 分到教室，你比她到得早吗？

_____

(7) 山本有二百多本中文书，你的中文书比她多吗？

_____

(8) 罗兰每天锻炼一个小时，你锻炼的时间比她长吗？

_____

逛公园

昨天晚上我对罗兰说，听说我们学校西边有个公园，那个公园很大。公园里有山有水，很漂亮。明天是星期六，我们去公园玩玩儿怎么样？罗兰说，她也正想去公园散散步呢。

我问罗兰怎么去，罗兰说，星期六坐公共汽车的人比较多，我们最好骑自行车去，还可以锻炼身体。

今天早上，我们起得很早，吃了早饭就出发了，半个小时就到公园了。

今天逛公园的人真多，买票要排队，我们排了五分钟才买到票。买了票我们就进去了。我和罗兰先爬山，爬了二十多分钟就爬到了山上。因为爬得太快了，我出了一身汗。从山上往下看，非常漂亮。山上有很多树，还有很多花。公园里有一个很大的湖。湖上有一座白色的桥。很多人在湖边散步，还有不少人在湖上划船。罗兰说，这个公园真大、真漂亮。

我和罗兰在山上照了很多相。照完相我们就下山了。

我们在公园里玩了一个上午，看了很多地方。

我对罗兰说，学校离这个公园不太远。可以经常骑车到这儿来玩儿。爬爬山，划划船或者跟朋友一起来散散步，聊聊天。罗兰说，以后我们可以再来。

变	一	亠	亠	亦	亦	变	变				
迷	丷	丷	半	半	米	迷					
古	一	十	古								
商	一	亠	产	产	商	商	商				
响	口	吖	叮	响	响						
曲	冂	冂	曲	曲	曲						
城	土	圢	圫	圻	城	城					
漂	氵	汀	沪	沪	澌	澌	澌	漂			
亮	一	亠	亠	亩	亮						
流	氵	汁	汵	汸	涝	流					
增	土	圹	圹	圿	坰	坰	增	增			
更	一	亠	西	更	更	更					
温	氵	渭	湹	渭	温	温					
暖	日	旺	旺	旺	旺	暖	暖				
度	广	庐	庐	庐	庐	度					
轻	车	轩	轩	轻							

Lesson 2

第二课	我们那儿的冬天跟北京一样冷

一 课文 Kèwén ● Text ....

（一）我们那儿的冬天跟北京一样冷

田芳：罗兰，你们国家的时间跟北京不一样吧？

罗兰：当然不一样。我们那儿跟北京有七个小时的时差呢。

田芳：你们那儿早还是北京早？

罗兰：北京比我们那儿早七个小时。现在北京是上午八点多，
　　　我们那儿才夜里一点多。

田芳：季节跟北京一样吗？

罗兰：季节跟北京一样，也是春、夏、秋、冬四个季节。

田芳：气候跟北京一样不一样？

罗兰：不一样。北京的夏天很热，我们那儿夏天没有这么热。

田芳：冬天冷不冷？

罗兰：冬天跟北京一样冷，但是不常刮大风。

田芳：常下雪吗？

罗兰：不但常常下雪，而且下得很大。北京呢？

田芳：北京冬天不常下雪。

（二）我跟你不一样

麦克：这次你考得怎么样？

玛丽：还可以，综合课考了95分，听力跟阅读一样，都是90分，口语考得不太好，只考了85分。你呢？

麦克：你比我考得好。我的阅读跟你考得一样，综合课和听力课都没有你考得好，只得了80分。

玛丽：听写我没考好，有的汉字不会写。

麦克：好了，不谈考试了。我问你，周末有什么打算？出去玩儿吗？

玛丽：出去。最近，我常到历史博物馆去参观。

麦克：是吗？你怎么对历史产生兴趣了？

玛丽：学了京剧以后，我就对中国历史产生了兴趣。有一天，我在书店买到了一本画册，是介绍中国历史的。看了以后，就想到历史博物馆去看看。

麦克：你打算研究中国历史吗？

玛丽：不，我只是对中国历史感兴趣。

麦克：我跟你不一样，你喜欢老的，我喜欢新的。我对中国改革开放以后的一切都很感兴趣。

二 生词 Shēngcí ● New Words

1. 国家	（名）	guójiā	country
2. 一样	（形）	yíyàng	same
3. 时差	（名）	shíchā	time difference
4. 夜	（名）	yè	night
5. 季节	（名）	jìjié	season
6. 春（天）	（名）	chūn（tiān）	spring
7. 夏（天）	（名）	xià（tiān）	summer
8. 秋（天）	（名）	qiū（tiān）	autumn
9. 热	（形）	rè	hot
10. 冷	（形）	lěng	cold
11. 刮风		guā fēng	（of the wind）to blow
风	（名）	fēng	wind
12. 下雪		xià xuě	to snow
雪	（名）	xuě	snow
下雨		xià yǔ	to rain
13. 不但…而且…		búdàn…érqiě	not only... but also
14. 得	（动）	dé	to get
15. 分	（量）	fēn	point; mark

16.	听写	（动）	tīngxiě	to dictate
17.	周末	（名）	zhōumò	weekend
18.	出去	（动）	chūqu	to go out
19.	历史	（名）	lìshǐ	history
20.	产生	（动）	chǎnshēng	to give rise to; to bring about
21.	画册	（名）	huàcè	album of paintings
22.	研究	（动、名）	yánjiū	to study; to research; research
23.	只是	（副）	zhǐshì	only
24.	老	（形）	lǎo	old
25.	改革	（动、名）	gǎigé	to reform; reformation
26.	开放	（动）	kāifàng	to open
27.	一切	（形、代）	yíqiè	all; everything

三 注释 Zhùshì ● Notes

（一） 好了　well；all right

在对话中，"好了"用来劝止或提醒对方自己要停止某一谈话（或动作）。后边常有相应的语句出现。例如：

In a conversation a speaker often says "好了" to remind the listener that he/she wants to stop a topic（or an act）. Corresponding remarks usually follow，e. g.

（1）好了，不谈这个了。我问你……

（2）好了，今天先讲到这儿吧。

（3）好了，我们该走了。

（二）我只是对历史感兴趣

I am only interested in history.

四 语法 Yǔfǎ ● Grammar ....

（一）比较句：跟……一样/不一样

Comparative sentences：跟……一样/不一样 be like（same as）/ unlike

汉语用"A 跟 B 一样"表示比较的结果相同。

"A 跟 B 一样"：A is same as B，e. g.

A	B
Q 这件红毛衣 500 元	那件蓝毛衣也是 500 元
A → 这件毛衣<u>跟</u>那件价钱一样。	
Q 小王 20 岁	小张也 20 岁
A → 小王<u>跟</u>小张一样大。	
Q 我喜欢听音乐	她也喜欢听音乐
A → 她<u>跟</u>我一样喜欢听音乐。	

· 26 ·

"A 跟 B 不一样" 表示比较的结果不同。例如：

"A 跟 B 不一样"：A is not same as / different from B，e. g.

<table>
<tr><td></td><td>A</td><td>B</td></tr>
</table>

	A	B

Q 这件衣服 400 元　　　　　　　　那件衣服 600 元

A → 　这件衣服跟那件衣服价钱不一样。

Q 这双皮鞋 25 号　　　　　　　　那双皮鞋 26 号

A → 　这双皮鞋跟那双不一样大。

Q 姐姐喜欢跳舞　　　　　　　　　弟弟喜欢唱歌

A → 　姐姐跟弟弟的爱好不一样。/姐姐的爱好跟弟弟不一样。

"跟……一样/不一样" 还可以作定语。例如：

"跟……一样/不一样" may be used as an attributive, e. g.

（1）他有一辆跟你这辆颜色一样的车。

（2）我买了一本跟你那本一样的词典。

"跟……不一样" 还可以说 "不跟……一样"。例如：

For "跟…不一样"，we can also say "不跟…一样"，e. g.

（3）我跟你不一样高。

也可以说：我不跟你一样高。

（4）我的词典不跟你的一样。

也可以说：我的词典跟你的不一样。

（二）不但……而且…… not only…but also…

"不但……而且……"连接一个复句，表达递进意义。两个分句同属一个主语时，"不但"要用在第一个分句主语之后。两个分句主语不同时，"不但"要用在第一个分句主语之前。例如：

"不但…而且…" links a complex sentence. It is used to indicate a further development in meaning in the second clause from what is stated in the first one. If the two clauses   share one subject, "不但" is used after the subject of the first clause. If the two clauses have different subjects,   "不但" is used before the subject of the first clause, e. g.

（1）他不但会说英语，而且还会法语。

（2）她不但喜欢唱歌，而且唱得不错。

（3）不但她会说汉语，而且她妹妹也会说汉语。

五 练习 Liànxí ● Exercises ··

① 语音 Phonetics

（1）辨音辨调 Pronunciations and tones

jìjié	jùjué	yíyàng	yìyàng
jiāxiāng	jiāqiáng	qìhòu	jīgòu
zhǐshì	zhīshi	yíqiè	yìxiē

（2）朗读 Read out the following phrases

这两个一样 　　　　　　　　这两张桌子一样

这两辆汽车颜色不一样　　　　这两件毛衣大小不一样

他考得跟玛丽一样好　　　　　他说得跟玛丽一样流利

我跟你一样喜欢唱歌　　　　　我跟你一样喜欢旅行

不但好而且很便宜　　　　　　不但会唱而且唱得很好

❷ 替换　Substitution exercises

(1)　A：你们国家的气候跟这儿一样吗？

　　　B：跟这儿不一样 。（我们国家的气候跟这儿不一样。）

你的电脑 *dian nao*	他的
他的手机 *shou ji*	我的
你的词典 *ci dian*	这本
这件毛衣 *jian mao yi*	你的
你的想法 *xiang fa*	你朋友的
玛丽的兴趣 *xing qu*	麦克的 *Mai ke*

(2)　A：你们那儿的冬天跟这儿一样冷吗？

　　　B：我们那儿的冬天比这儿还冷。

这个教室 *jiao shi*	那个	大
弟弟	你	高
这儿的夏天 *xia tian*	北京	热 *re*
那儿的冬天 *dong tian*	上海	冷 *leng*
这件毛衣 *mai yi*	那件 *jian*	长
这个手机 *shou ji*	那个	贵 *gui*

（3）A：她对中国的历史很感兴趣，你呢？

B：我跟她一样感兴趣。

书法	中国电影
中国文学	针灸
中国画	京剧

（4）A：她考得怎么样？

B：她考得跟你一样好。

学	好
说	流利
唱	好听
写	漂亮
跑	快
来	早

（5）这儿的冬天不但下雪，而且下得很大。

冬天	很冷	常常刮风
她	会说汉语	说得很好
他	会画画儿	画得很好
玛丽	会唱京剧	唱得很不错
她	想学好汉语	想研究中国历史

· 30 ·

(6) 不但我学习汉语，而且弟弟也学习汉语。

> 喜欢吃中国菜　　想去旅行
>
> 会说英语　　　　会打太极拳
>
> 打算延长一年　　对历史感兴趣

3 选词填空　Choose the right words to fill in the blanks

> 博物馆　刮　一样　秋天　开放　而且　产生　研究　只是

(1) 一年有四个季节，它们是：春天、夏天、秋天、冬天。

(2) 我们国家的气候跟这儿不一样。

(3) 刮了一夜大风，天气一下变冷了。

(4) 你打算研究这个城市的历史吗？

(5) 我只是认识她，对她还不太了解。

(6) 最近，我对中国画和书法产生了兴趣。

(7) 我周末常去博物馆参观。

(8) 改革开放以后，中国的变化很大。

(9) 这儿的冬天不但冷，而且还常常刮风。

4 用"跟……一样/不一样"说　Reconstruct the following sentences with

A. "跟……一样"

> 例：我住东方宾馆，她也住东方宾馆。
>
> → 她住的地方跟我一样。

(1) 我的专业是汉语，她的专业也是汉语。

→ _____

(2) 我的羽绒服是红的，她的也是红的。

→ _____

(3) 我身高 1 米 68，她的身高也是 1 米 68。

→ _____

(4) 我语法考试的成绩是 95 分，她也是 95 分。

→ _____

(5) 我喜欢打网球，她也喜欢打网球。

→ _____

(6) 她今年 19 岁，我也是 19 岁。

→ _____

(7) 我去上海旅行，她也去上海旅行。

→ _____

(8) 我买的是《汉英词典》，他买的也是《汉英词典》。

→ _____

B. "跟……不一样"

(1) 我的车是黑的，她的车是红的。

→ _____

(2) 我今年毕业，弟弟明年毕业。

→ _____

(3) 我学语言，弟弟学医。

→ _____

(4) 我以后要当翻译，弟弟要当大夫。

→ _____

(5) 火车每小时 200 公里，汽车每小时 120 公里。

→ _____

(6) 北京今天 29 度，广州 31 度。

→ _____

(7) 这间屋子 30 平方米，那间 35 平方米。

→ _____

(8) 这件羽绒服 350 元，那件 400 元。

→ _____

5 用适当的词填空　Fill in the blanks with appropriate words

> 例：A：苹果跟橘子一样大吗？
>
> 　　B：不一样大。苹果比橘子大。

(1) A：这座楼___跟___那座楼一样高吗？

B：不一样高。那座楼___比___这座楼高。

(2) A：这本书___跟___那本一样难吗？

B：不一样难。这本___比___那本容易一点儿。

(3) A：他___跟___你一样大吗？

B：不一样大，我___比___他大一岁。

(4) A：这两瓶酒一样贵吗？

B：不一样贵，这瓶___比___得多。

(5) A：这两个箱子一样重吗？

B：不一样重，这个___比___那个重。

(6) A：这两个地方一样冷吗？

B：不一样冷，这儿___比___得多。

6 根据实际情况回答下列问题

Answer the questions according to actual situations

(1) 山本的书包是蓝的，你的书包跟她的颜色一样吗？

(no) 我的书包跟她的不一样。

(2) 爱德华周末想去书店，你想跟他一起去吗？

(yes) 我想跟他一起去一样。

(3) 山本喜欢爬山，你的爱好跟她的一样吗？

(no) 我的爱好跟她的不一样

(4) 我喜欢吃中国菜，你跟我一样吗？

(yes) 你跟我一样。

(5) 罗兰考了90分，你考得跟她一样好吗？

(no)

(6) 麦克不喝啤酒，你呢？

(yes)

(7) 我们国家没有冬天，你们国家呢？

(no)

(8) 玛丽对中国历史很感兴趣，你呢？

(yes)

7 改错句　Correct the sentences

(1) 他写了汉字跟你一样好。

(2) 我们班的学生比他们班一样多。

（3）爸爸也妈妈一样，身体很好。

_____

（4）今天跟昨天冷一样。

_____

（5）我们国家跟中国一样气候。

_____

（6）我的书包跟他的一样红颜色。

_____

8 读后说　Read and express

赛　马

两千多年前，有个人叫田忌（Tián Jì），很喜欢赛马。一天，国王对他说："听说你又买了一些好马，我们再赛赛怎么样？"

田忌知道自己的马没有国王的好，但是又不好意思说不赛，就答应了。

田忌和国王的马，都分三等：上等、中等、下等。比赛进行三场，每场赛三次，按最后的得分决定输赢。

比赛开始了。第一场，田忌用同等级的马跟国王赛，田忌的马都没有国王的跑得快，结果三次都输了。

田忌输了第一场，心里很不高兴。这时一个朋友对他说，你不能这样赛，我告诉你一个办法……

第二场比赛开始了。田忌先用下等马跟国王的上等马赛，结果田忌输了。大家都想，这场比赛田忌又要输。但是第二次比赛，当国王用中等马时，田忌却用了上等马。田忌的上等马比国王的中等马跑得快，这次田忌赢了。第三次，田忌用中等马跟国王的下等马赛，结果又赢了。这样，第二场比赛国王输了。

第三场跟第二场一样，田忌用同样的方法又赢了国王。

比赛的结果是二比一，田忌赢了。

补充生词　Supplementary words

1. 赛	sài	to compete
2. 马	mǎ	horse
3. 国王	guówáng	king
4. 等	děng	class; grade; rank
5. 上等	shàngděng	first class; superior
6. 中等	zhōngděng	mediwm; middling
7. 下等	xiàděng	low-grade; inferior

⑨ 写汉字　Learn to write

春	一	三	声	夫	夫	春			
季	一	二	千	禾	季				
夏	一	一	丆	百	百	百	夏	夏	夏
秋	一	二	千	禾	禾	禾	秋	秋	秋

冬	冫	冬	冬	冬	冬						
冷	冫	冫	冷	冷	冷						
乡	纟	乡	乡								
刮	二	千	舌	刮	刮						
风	几	凡	风	风							
夜	亠	产	产	夜	夜	夜					
而	一	丆	而	而	而	而					
且	丨	日	且	且	且						
历	厂	历									
史	口	史	史								
改	卫	己	改	改	改	改	改				
放	亠	方	方	放	放	放	放				

Lesson **3**

第三课	冬天快要到了

一 课文 Kèwén ● Text ....

（一）快走吧，要上课了

（去教室的路上……）

田芳：啊，刮风了。今天天气真冷。

张东：冬天快要到了。

田芳：我不喜欢冬天。

张东：我喜欢冬天。我爱滑冰，也爱滑雪。我们家乡有山有水，是有名的风景区。夏天可以游泳，冬天可以滑雪，一年四季都有去旅游的人，尤其是夏天，山里很凉快，去避暑的人特别多。很多人家都靠经营旅馆、饭店发了财。

田芳：我只会滑冰，不会滑雪。我真想到你们家乡去学学滑雪。你看，树叶都红了。红叶多漂亮。等一下，我去捡几片红叶。

张东：别捡了，快走吧，要上课了。

田芳：着什么急，还早着呢。

张东：你看看表，几点了？

田芳：刚七点半。

张东：什么？你的表是不是坏了？

田芳：哎呀，我的表停了，可能没电了，该换电池了。什么时间了？

张东：都七点五十了。快走吧，再不快点儿就迟到了。

（二）我姐姐下个月就要结婚了

（山本高兴地在网上读信）

玛丽：山本，有什么好事啦？这么高兴。

山本：我母亲来信了。她在信上高兴地说，我姐姐下个月就要结婚了。

玛丽：上次你说你姐姐刚找到工作，怎么这么快就要结婚了？

山本：她未婚夫不愿意让她工作了。

玛丽：这么说，结婚以后她就不工作了？

山本：对。

玛丽：将来你也会这样吗？结了婚就不工作了吗？

山本：不。我喜欢工作。要是不让我工作，我就不结婚。

1. 爱	（动）	ài	to love; to like
2. 滑冰		huá bīng	to skate
3. 滑雪		huá xuě	to ski
4. 家乡	（名）	jiāxiāng	homeland
5. 有名	（形）	yǒumíng	famous
6. 风景	（名）	fēngjǐng	scenic view; landscape
7. 区	（名）	qū	scenic area; parkland; tourist region
8. 旅游	（动）	lǚyóu	to have a tour
9. 尤其	（副）	yóuqí	especially
10. 凉快	（形）	liángkuai	nice and cool
11. 避暑		bì shǔ	to spend a holiday at a summer resort
12. 人家	（名）	rénjiā	household; family
13. 靠	（动）	kào	to rely on
14. 经营	（动）	jīngyíng	to manage; to run
15. 发财		fā cái	to get rich; to make a fortune
16. 树叶	（名）	shùyè	leaf
树	（名）	shù	tree
叶	（名）	yè	leaf
17. 落	（动）	luò	to fall
18. 红叶	（名）	hóngyè	red autumn leaves
19. 捡	（动）	jiǎn	to pick

20.	着急	（形）	zháojí	feeling anxious
21.	着呢	（助）	zhene	(used to indicate degree) very; quite
22.	表	（名）	biǎo	watch
23.	坏	（形）	huài	bad, (go wrong)
24.	哎呀	（叹）	āiyā	(expressing surprise or amazement)
25.	停	（动）	tíng	to stop
26.	该	（能愿）	gāi	should; ought to; need
27.	电池	（名）	diànchí	battery
28.	迟到	（动）	chídào	to be (or arrive) late
29.	好事	（名）	hǎoshì	happy event
	坏事	（名）	huàishì	bad thing
30.	啦	（助）	la	(a modal particle expressing exclamation and interrogation)
31.	母亲	（名）	mǔqin	mother
	父亲	（名）	fùqin	father
32.	地	（助）	de	(used after an adjective or phrase to form an adverbial adjunct before the verb)
33.	结婚		jié hūn	to marry
	离婚		lí hūn	to divorce
34.	未婚夫	（名）	wèihūnfū	fiancé
	未婚妻	（名）	wèihūnqī	fiancée
35.	将来	（名）	jiānglái	future
36.	这样	（代）	zhèyàng	such; so; like this; this way
	那样	（代）	nàyàng	like that; such; so; that way

(一) ⋯⋯着呢

"着呢"用在形容词和某些心理动词后表示程度，相当于"很"。例如：

"着呢" is used after adjectives and some verbs expressing psychological states to indicate degree. Its meaning is equivalent to "很" (very), e. g.

(1) 时间还早着呢。(时间还很早。)

(2) 今天外边冷着呢。

(3) A：你的肚子疼吗？

　　B：疼着呢。

(二) 都⋯⋯了

"都⋯⋯了"中间多为时间词和数量词，表示时间晚、年龄大、数量多。"都"是"已经"的意思，起强调作用。发音要轻。例如：

The words used between "都" and "了" are usually temporal words and numeral – classifier compounds to emphasize lateness, oldness or plentiness. "都" means "已经" (already). It is not stressed in pronunciation.

(1) 都七点五十五了，快走吧。

(2) 都二十岁了，自己的事情应该自己做了。

(三) 着什么急

句中"什么"表示反问，表示不满，不同意对方说的某一句话。例如：

"什么" in the sentence is used rhetorically to express dissatisfaction or disagreement with what the other person has said, e. g.

(1) 说什么？别说了，上课了。

(2) 着什么急？时间还早呢。

(3) 你笑什么？有什么可笑的？

(四) 该换电池了

"该⋯⋯了"表示根据情理或经验推测必然的或可能的结果。例如：

"该…了" means "It is time to do something", e. g.

(1) 十二点了，该睡觉了。

(2) 时间到了，该出发了。

（五）有什么好事啦

"啦" 是 "了" 和 "啊" 的复合形式。这里表示疑问的语气。

"啦" is the blend of "了" and "啊". Here it carries an inquisitive tone.

四 语法 Yǔfǎ ● Grammar ·······

（一）变化的表达：语气助词 "了"（2）

Indicating a change：the modal particle "了"（2）

语气助词 "了" 用在句尾还表示变化。

When used at the end of a sentence，the modal particle "了" implies a change of state，e. g.

(1) 树叶已经黄了。（秋天到了。）

(2) 他已经参加工作了。（以前上大学，没工作。）

(3) 她又想跟我们一起去了。（原来不想跟我们一起去。）

(4) 这件衣服小了。（不能穿了。/又长高了。）

"不……了"也表示变化。

"不……了" also implies a change of state.

(5) 结婚后，她不工作了。（结婚前还工作。）

(6) 我不回国了。（原来打算回国。）

(7) 我今天不发烧了。（昨天还发烧。）

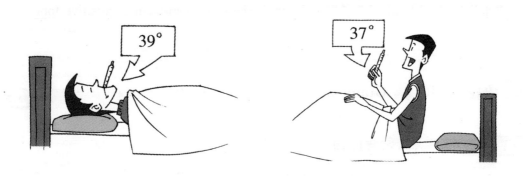

(二) **动作即将发生** Indicating that an act is about to take place

汉语用"要……了、就要……了、快要……了、快……了"表示动作即将发生。例如：

"要……了、就要……了、快要……了、快……了" are used in Chinese to indicate that something is about to happen，e. g.

(1) 要上课了。

(2) 再有两个月就要放寒假了。

(3) 快要下雪了。

注意：句中有表示具体时间的词语作状语时不能用"快要……了"。

Note："快要……了" is not used if a sentence contains an adverbial specifying the time.

不能说：＊下个月姐姐快要结婚了。

应该说：下个月姐姐就要结婚了。

（三）状语与结构助词"地" Adverbials and the structural particle "地"

结构助词"地"是句中状语的标志。

The structural particle "地" is an indicator of adverbial in a sentence.

（1）她高兴地告诉我，姐姐下个月就要结婚了。

（2）同学们都在努力地学习。

（四）无主语句：动词＋名词 The sentence without a subject：Verb ＋ Noun

汉语有些句子没有主语。句子的功能是：

Some Chinese sentences do not have subjects. The functions of these sentences are：

① **说明天气等自然现象。**

describe some natural phenomena such as weather

（1）刮风了。

（2）下雨了

（3）没下雪。

② **表示祝愿、祝福。**

express good wishes

（1）祝你生日快乐！

（2）祝你新年快乐！

1 语音 Phonetics

（1）辨音辨调 Pronunciations and tones

huá xuě	huàxué	lǚyóu	lǐyóu
jīngyíng	jīngyīng	fā cái	fā dāi
zháojí	zhàojí	diànchí	diànshì
chídào	zhīdào	yuànyì	yuányì

（2）朗读 Read out the following phrases

天热了	天冷了	下雨了	下雪了
不来了	不去了	不发烧了	头不疼了

冬天到了，快下雪了　　春天来了，天(气)暖和了
夏天了，天(气)热了　　秋天了，天(气)凉快了

要开车了	要下雨了	飞机就要起飞了
圣诞节就要到了	新年快要到了	学校要放假了

该起床了	该吃饭了	该出发了
该下课了	该走了	该睡觉了

高兴地告诉我	着急地对我说	客气地对他讲
愉快地工作	努力地学习	快乐地生活

2 替换 Substitution exercises

（1）A：今天真<u>冷</u>！

　　B：<u>冬天</u>快要到了。

暖和	春天
热	夏天
凉快	秋天

(2) A：快走吧，要<u>上课</u>了。

B：等一下儿，我马上就来。

出发	开车
迟到	考试
关门	下雨

(3) A：什么时间了？

B：快<u>七点</u>了，<u>该起床</u>了。

七点三刻	上课
一点半	上飞机
八点半	下车
两点一刻	走
七点	集合
十二点	睡觉

(4) 快点儿<u>走</u>吧，再不快点儿就要<u>迟到</u>了。

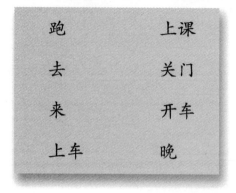

跑	上课
去	关门
来	开车
上车	晚

(5) A：她不想<u>工作</u>了吗？

B：不想工作了。

上课	去	来
回国	出国	学

(6) A：要是<u>不让你工作</u>呢？

B：我就<u>不结婚</u>了。

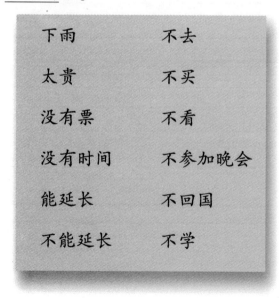

下雨	不去
太贵	不买
没有票	不看
没有时间	不参加晚会
能延长	不回国
不能延长	不学

3 选词填空 Choose the right words to fill in the blanks

A. 该 着 呢 结 有名 真 要 爱 迟到 发 尤其 了

(1) 这里的秋天_____好，不冷也不热。

(2) 我_____滑冰，也_____滑雪。

(3) 我们家乡是_____的风景区，冬天可以滑雪，夏天可以游泳，一年四季都有很多旅游的人，_____是夏天，去避暑的人特别多。

(4) 我们那儿很多人家都靠经营旅馆_____了财。

(5) 秋天_____，树上的叶子都红了。

(6) 下个月我姐姐就要_____婚了。

(7) 快走吧，_____迟到了。

(8) 对不起，我_____了。

(9) 别着急，天还早_____。

(10) 你的表是不是_____换电池了？

B. 就 快

(1) 你看，_____下雨了。我们快走吧。

(2) 明天她_____要回来了。

(3) 马上_____要出发了，你怎么还不着急呢？

(4) 她_____成足球迷了，为看足球课也不上了。

(5) 今天早上我六点_____起床了。

(6) 秋天_____到了。你最好去买一件毛衣。

· 49 ·

4 看图说话 Describe the pictures

_____   _____

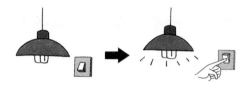

_____   _____

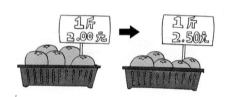

_____   _____

5 完成句子 Complete the following sentences

(1) 已经十一月了，冬天_____。

(2) 快春天了，_____。

(3) 夏天了，_____。

(4) 快到秋天了，_____。

(5) 要下雨了，_____。

(6) 今天十二月二十八号了，_____。

(7) 都十二点了，该_____。

(8) 她说十号来，今天已经八号了，_____。

(9) 要是你不想去，就＿＿＿＿＿＿＿＿＿＿＿＿＿＿。

(10) 要是你身体不舒服，就＿＿＿＿＿＿＿＿＿＿＿＿＿。

6 用"快……了"、"要……了"、"快要……了"、"就要……了"造句

Make sentences with "快…了"，"要…了"，"快要…了" and "就要…了".

(1) 12 月 25 日是圣诞节，今天已经是 12 月 20 号了。

＿＿＿＿＿＿＿＿＿＿＿＿＿＿＿＿＿＿＿＿＿＿＿＿＿＿＿

(2) 妈妈说她星期六来中国，今天已经星期四了。

＿＿＿＿＿＿＿＿＿＿＿＿＿＿＿＿＿＿＿＿＿＿＿＿＿＿＿

(3) 王老师说第十周期中考试，现在是第九周了。

＿＿＿＿＿＿＿＿＿＿＿＿＿＿＿＿＿＿＿＿＿＿＿＿＿＿＿

(4) 张东说他今晚七点半来找我，现在已经七点二十了。

＿＿＿＿＿＿＿＿＿＿＿＿＿＿＿＿＿＿＿＿＿＿＿＿＿＿＿

(5) 这本书一共 420 页，我已经看了 400 页了。

＿＿＿＿＿＿＿＿＿＿＿＿＿＿＿＿＿＿＿＿＿＿＿＿＿＿＿

(6) 爸爸 11 月 8 号回国，今天是 11 月 5 号。

＿＿＿＿＿＿＿＿＿＿＿＿＿＿＿＿＿＿＿＿＿＿＿＿＿＿＿

(7) 运动会 9 月 20 号开始，今天是 9 月 10 号了。

＿＿＿＿＿＿＿＿＿＿＿＿＿＿＿＿＿＿＿＿＿＿＿＿＿＿＿

(8) 从美国来的飞机九点到，现在已经八点半了。

＿＿＿＿＿＿＿＿＿＿＿＿＿＿＿＿＿＿＿＿＿＿＿＿＿＿＿

7 改错句 Correct the sentences

(1) 下个月快要姐姐结婚了。

＿＿＿＿＿＿＿＿＿＿＿＿＿＿＿＿＿＿＿＿＿＿＿＿＿＿＿

(2) 我们八点快要上课了。

_____

(3) 要天气冷了，我该买冬天的衣服。

_____

(4) 听说我要回国，妈妈快要高兴了。

_____

(5) 姐姐结婚了一个公司职员。

_____

(6) 她是一个真好的老师，我们都很爱她。

_____

8 写汉字　Learn to write

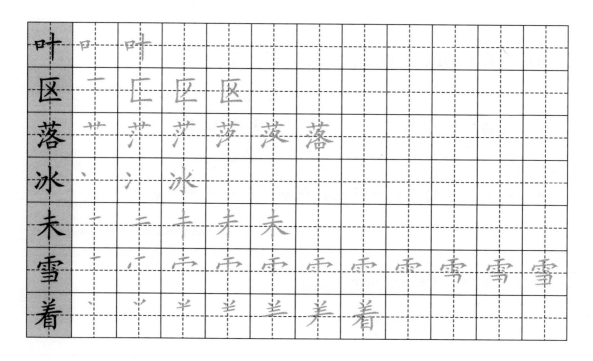

急	⺈	⺈	刍	刍	刍	急						
坏	土		坏									
停	亻	亻	亻	仁	停	停	停	停				
该	讠	讠	讠	讠	该	该	该					
迟	⁷	口	尸	只	迟							
尤	一	尢	尤	尤								
其	一	十	卅	廿	其	其	其	其				
母	ㄴ	口	母	母	母							
亲	一	十	立	辛	辛	辛	亲					
告	ノ	牛	生	告	告							
诉	讠	讠	讠	讠	诉	诉						

Lesson 4

第四课	快上来吧，要开车了

 课文 Kèwén ● Text ....

（一）我给您捎来了一些东西

（王老师和林老师都住在学校里。林老师给王老师打来了个电话，说她从台湾回来了，还给王老师带来一些东西，要给王老师送来……）

林老师：王老师吗？我是小林。

王老师：啊，小林。你不是到台湾开汉语教学研讨会去了吗？

林老师：我开完会回来了。昨天晚上刚到家。我回来的时候，
　　　　经过香港，到小赵家去看了看。

王老师：是吗？小赵好吗？

林老师：挺好的。她让我向您问好，还让我给您捎来一些东西。
　　　　我想给您送去。

王老师：我过去取吧。

林老师：不用。我正好要下楼去，顺便就给您带去了。

王老师：那好，你过来吧。

（王老师家门口）

王老师：辛苦了！还麻烦你跑一趟。外边冷，快进屋来坐吧。

林老师：不进去了。我爱人还在楼下等我呢，我们要出去办点儿事。

王老师：我送送你。

林老师：不用送了，请回吧。

王老师：慢走！

（二）快上来吧，要开车了

（林老师和同学们一起坐车去展览馆参观。车就要开了，林老师在车上叫同学们快上车……）

林老师：下边的同学快上来吧，要开车了。

麦　克：老师，我不上去了，我到后边的五号车去可以吗？我朋友在那儿。

林老师：你过去吧。玛丽怎么还没上来呢？

山　本：她忘带照相机了，又回宿舍去拿了，一会儿就回来。啊，她跑来了。玛丽，快点儿，就要开车了。

（玛丽上来了）

玛　丽：对不起，我来晚了。

山　本：玛丽，这儿还有座位，你过来吧。

林老师：请大家注意，我先说一件事。我们今天去参观出土文物展览。这个展览大约要参观两个半小时。参观完以后，四点钟开车回来。要求大家四点准时上车。不回来的同学跟我说一声。听清楚了没有？

留学生：听清楚了。

林老师：要记住开车的时间。都上来了吗？好，师傅，开车吧。

山　本：（站起来给老师让座位）老师，您到这儿来坐吧。

林老师：我不过去了，就坐这儿了，你快坐下吧。

（到了展览馆门前）

玛　丽：老师，参观完以后，我想到大使馆去看朋友，不回学校去了，可以吗？

林老师：可以。

二　生词 Shēngcí ● New Words

1. 送　　　（动）　sòng　　　to deliver; to carry; to give; to give as a present; to see sb. off or out

2. 开会　　　　　kāi huì　　to have/attend a meeting

3. 教学	（名）	jiàoxué	teaching
4. 研讨	（动）	yántǎo	to study and discuss
研讨会	（名）	yántǎohuì	seminar; symposium
5. 经过	（动）	jīngguò	to pass; go through（a place）
6. 向	（介）	xiàng	to; towards; in the direction of
7. 问好		wèn hǎo	to send one's regards to; to say hello to
8. 捎	（动）	shāo	to take along sth. to or for someone; to bring to someone
9. 过去	（动）	guòqu	to go over; to pass by
10. 过来	（动）	guòlai	to come over; to come by
11. 门口	（名）	ménkǒu	entrance; doorway
12. 辛苦	（形、动）	xīnkǔ	hard; strenuous; to bother; to ask sb. to do sth.
13. 麻烦	（动、形）	máfan	to trouble; trouble
14. 趟	（量）	tàng	（indicating trip or trips made）
15. 爱人	（名）	àiren	husband or wife
16. 办事		bàn shì	to handle affairs
17. 马上	（副）	mǎshàng	at once; immediately
18. 慢	（形）	màn	slow
19. 展览馆	（名）	zhǎnlǎnguǎn	exhibition hall
20. 展览	（动、名）	zhǎnlǎn	to put on display; to exhibit; exhibition
21. 上来	（动）	shànglai	to come up
22. 开车		kāi chē	to drive a car, bus, etc.;（a vehi-

cle）to start to move

23.	照相机 （名）	zhàoxiàngjī	camera
	照相	zhào xiàng	to take a photo
24.	座位 （名）	zuòwèi	seat
25.	注意 （动）	zhùyì	to pay attention to
26.	出土	chū tǔ	（of antiques）to be unearthed；to be exhumed
27.	文物 （名）	wénwù	cultural relic；artifact
28.	大约 （副）	dàyuē	approximately
29.	要求 （动、名）	yāoqiú	to ask；to demand；requirement
30.	声 （量、名）	shēng	（a classifier used to indicate the number of sounds）；sound；voice
31.	清楚 （形）	qīngchu	clear
32.	师傅 （名）	shīfu	master（polite title for one with accomplished skills）
33.	大使馆 （名）	dàshǐguǎn	embassy
	大使 （名）	dàshǐ	ambassador

专名　Zhuānmíng　**Proper Names**

1. 台湾　Táiwān　Taiwan（a province in China）

2. 香港　Xiānggǎng　Hong Kong

3. 赵　Zhào　Zhao（a family name of Chinese）

三 注释 Zhùshì ● Notes ·· 🔍

（一）小林

中国人比较熟悉的人之间用"小 + 姓"，称呼年轻人；用"老 + 姓"称呼年纪大的人。例如：

Chinese tend to use "小 + family name" to address people with whom they are familiar and "老 + family name" to those they are not familiar with, e. g.

小林　　　　　小赵

老王　　　　　老张

（二）你不是到台湾开教学研讨会去了吗?

"不是……吗"是个反问句。反问句不要求对方问答。是说话人为了强调肯定或否定的语气，或为了引出下面的话而明知故问。

"不是…吗" is a rhetorical question, for which a reply is not expected. The speaker is emphasizing the affirmative or negative tone, or trying to elicit the words that follow this question.

(1) 你不是北京人吗? 为什么不知道这个地方? (我知道你是北京人)

(2) 昨天你不是去了吗? 为什么说不知道? (我知道你去了)

(3) 你不是不喜欢吃米饭吗? (我知道你不喜欢吃米饭)

（三）慢走

送客人时说的客套话。

A polite expression used to see a guest out.

（四）还麻烦你跑一趟

"趟"是动量词。表示走动的次数。

A verbal classifier used to refer to the number of trips made.

（五）不回来的同学跟我说一声

"声"量词。表示声音发出的次数。

A classifier used to refer to the number of times a sound is uttered.

动作趋向的表达：简单趋向补语：动词（V）＋来/去

Indicating the direction of an act: the simple complement of direction: Verb ＋ 来/去

动词"来"和"去"用在一些动词后作补语表示动作趋向，这种补语叫简单趋向补语。表示动作向着说话人或所谈及事物的方向时用"来"；表示动作背着说话人或所谈及事物的方向时用"去"。例如：

When the verbs "来" and "去" are used after some other verbs to function as complements and indicate the direction of an act, they are called a simple complement of direction. If an act is occurring in the direction of (towards) the speaker or something being referred to, "来" is used; for the opposite "去" is used, e. g.

(1) 上来吧。(说话人在上边)

(2) 上课了，快进来吧。(说话人在里边)

(3) 他回家去了。(说话人在家外边)

宾语是处所词时，要放在动词之后，"来/去"之前。例如：

If the object of a sentence is a word denoting the place, it is placed after the verb and before "来/去", e. g.

(4) 我到小赵家去了。

(5) 我正好要下楼去。

(6) 我们进教室去吧。

宾语是表示事物的词语时，可放在"来/去"之前，也可放在"来/去"之后。例如：

If the object of a sentence is a word referring to something, it can be placed before or after "来/去", e. g.

(7) 他带了一个照相机来。/他带来了一个照相机。

(8) 他买来了一本《英汉词典》。/他买了一本《英汉词典》来。

（9）我给你带来了一些东西。／我给你带了一些东西来。

五 练习 Liànxí ● Exercises ··

1 语音 Phonetics

（1）辨音辨调 Pronunciations and tones

dōngxi	dōng xī	shùnbiàn	suíbiàn
máfan	mǎi fàn	xīnkǔ	xìngfú
zhùyì	zhǔyi	wèn hǎo	wènhào
yāoqiú	yāoqǐng	qīngchu	qīngchú

（2）朗读　Read out the following phrases

上来　　下来　　进来　　出来　　回来　　过来　　起来

上去　　下去　　进去　　出去　　回去　　过去

带来　　带去　　拿来　　拿去　　跑来　　跑去

上楼来　　　　进教室来　　　　回学校来

下楼去　　　　出教室去　　　　到大使馆去

带来一些东西　　　　买来一本词典

捎去一些苹果　　　　带去一件衣服

2 替换　Substitution exercises

（1）A：她从<u>台湾回来</u>了吗？

　　　B：<u>回来</u>了。

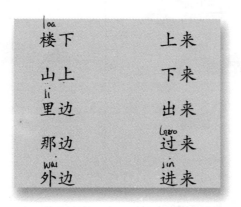

楼下　　　　　　　上来

山上　　　　　　　下来

里边　　　　　　　出来

那边　　　　　　　过来

外边　　　　　　　进来

（2）A：他<u>上来</u>了吗？

　　　B：还没呢，一会儿就<u>上来</u>。

下来　　　　　　回来

进来　　　　　　过来

出来　　　　　　起来

(3) A：林老师在楼上等你呢，快上去吧。

B：我马上就上去。

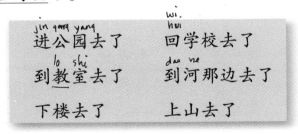

楼下	下去
里边	进去
外边	出去
那边	过去
学校	回去

(4) A：看见玛丽了吗？

B：我看见她进教室去了。

上楼去	下楼去
回宿舍去	到那边去
进图书馆去	出校门去

(5) A：林老师呢？

B：她到台湾去了。

进公园去了	回学校去了
到教室去了	到河那边去了
下楼去了	上山去了

(6) A：我给你带来了一本书。

B：谢谢。

1. 正在 ...... 呢？
2. 正 ...... 呢？
3. 在 ...... 呢？
4. ...... 呢？

jia
找　　　　一张北京地图
jie
借　　　　一个照相机
				zhao xiang ji
买　　　　几张光盘
				guang pang
song
送　　　　一些饺子
				jiao za
请　　　　一位翻译
				wei fang yi
na
拿　　　　一把伞
				bi san

(7) A：你给她<u>带</u>去了什么？

　　 B：给她<u>带</u>去了<u>一些水果</u>。

zi
寄　　　　几张照片
			zhao pian
yiao
捎　　　　一些中药
			xie
song
送　　　　一些新杂志
			xie xin za ji
na
拿　　　　一个照相机
			zhao xiang ji

(8) A：你进去的时候，他在做什么呢？

　　 B：他正在<u>看书</u>呢。

Ting
听音乐　　看电视　　睡觉
					zuo lian			lo tian
打电话　　做练习　　聊天儿

③ 选词填空 Choose the right words to fill in the blanks

准时　取　麻烦　拿　参观　去　顺便　清楚　要求　大约

(1) <u>麻烦</u>你给我带一封信去，好吗？

· 64 ·

（2）林老师到台湾开教学研讨会__去__了。

（3）我进城去看展览，__顺便__买了这本画册来，你看怎么样？

（4）今天__参观__展览的人真多！

（5）老师说明天参观，是上午去还是下午去，我没听__清楚__。

（6）她回宿舍去__拿__照相机了，我们等她一会儿吧。

（7）我现在到银行__取__钱去，你跟我一起去吧。

（8）老师每天七点五十__准时__到教室。

（9）老师__要求__我们多听、多读、多说、多写。

（10）今天的作业我__大约__做了两个小时才做完。

4 朗读下列各组会话并指出说话人或话中人的位置　Read out the following dialogues and point out the locations of the speaker or the person referred to

| 例：A：就要开车了，快下来吧。 | A 在：__下边__ |
| B：好，我马上就下去。 | B 在：__上边__ |

（1）A：她上来了吗？　　　　　　　　A 在：__下边__

　　　B：还没有呢。　　　　　　　　B 在：__上边__

（2）A：麦克从山上下来了吗？　　　　A 在：__下边__

　　　B：他还没下来呢。　　　　　　B 在：__下边__

（3了）A：外边太冷，快进屋来吧。　　A 在：__里边__

　　　　B：我不进去了，家里还有事。　B 在：__外边__

（4）A：林老师进教室去了吗？　　　　A 在：__教室边__

　　　B：刚进去。　　　　　　　　　B 在：__教室边__

（5）A：她们从展览馆出来了吗？　　　A 在：__外边__

　　　B：还没出来呢。　　　　　　　B 在：__外边__

(6) A：书店要关门了，我们出去吧。　　A 在：___剑里___

　　B：走吧。　　　　　　　　　　　　B 在：___里___

(7) A：你爸爸回家去了吗？　　　　　　A 在：___外边___

　　B：回来了。　　　　　　　　　　　B 在：___外里边___

(8) A：他们过来了吗？　　　　　　　　A 在：远边下 Gao li

　　B：还没呢。　　　　　　　　　　　B 在：这外边

5 用"来"或"去"填空　Fill in the following blanks with "来" or "去"

(1) 他刚从我这儿过___来___。

(2) 我看见她刚进图书馆___去___了。

(3) 他上午不在家，出___去___了。

(4) A：你进___来___的时候，他起___来___了没有？

　　B：没起___来___呢。

　　A：还发烧吗？

　　B：不发烧了。

(5) A：你爸爸回___来___了吗？

　　B：还没有呢。

　　A：他到哪儿___去___了？

　　B：他到超市买东西___去___了。

(6) A：火车票买___来___了吗？

　　B：买___来___了。

　　A：哪天的？

　　B：后天下午一点的。

6 改错句　Correct the sentences

(1) 玛丽回○去○宿舍拿照相机了。

(2) 林老师已经上来车了。

_____

(3) 他下星期就回去美国了。

_____

(4) 要是你回来学校，就给我打电话。

_____

(5) 他进去展览馆了。

_____

(6) 他喜欢进来我的房间跟我聊天儿。

_____

7 怎么说 How to say it 来/去

(1) A：(在家里) 外边很冷，快进屋__来__吧。
   zai jia le

   B：(在屋外) 我不进__来__了。

(2) A：(在外边) 王老师在吗？

   B：(在办公室) 不在，他回家_____了。

(3) A：(在车上) 你上__去__吗？

   B：(在车下) 人太多，我不上__去__了。我上那辆车__去__。

(4) A：(在楼上) 玛丽，你下_____不下_____？

   B：(在楼上) 等等我，我跟你一起下_____。

(5) A：(在办公室) 小林，你能过_____一下吗？

   B：(在办公室) 好，我马上过_____。

⑧ 用"动词＋来/去"填空 Fill in the blanks with "Verb ＋ 来/去"

我正在屋里看书的时候，小林等来_____了一个电话。她说她刚开完教学研讨会，从台湾走来_____了。经过香港的时候，她到小赵家去了。小赵让他给我_____一些东西，还_____一封信。小林说："我给你_____。"我说："我_____取吧。"她说："我正好要_____楼_____办点事，顺便就给你_____了。"

一会儿，小林从楼下_____来了。他给我_____来了小赵的东西和信，我说："麻烦你跑来一趟，快_____去屋_____坐一会儿吧。"小林说："不了，不_____去了，我爱人还在楼下等我呢，我们要出去办点事。说完，她就_____去楼_____了。

⑨ 读后说 Read and express

今天我带同学们去参观展览。快到出发的时间了，就叫同学们快上车来。我们坐的是三号车，爱德华不想坐这辆车，他朋友在五号车，他想到五号车去，问我行不行，我说，行，你过去吧。

就要开车了。玛丽还没来。我问玛丽怎么没来。山本说。她忘带照相机了，又回宿舍去拿了，马上就回来。过了一会儿，玛丽跑来了。

我看同学们都上来了，就对大家说，这个展览大约要参观两个小时。参观完以后，四点钟准时开车回学校。大家要记住开车时间。不回来的同学跟老师说一声。

说完，我们就出发了。到了展览馆。玛丽对我说，她看完展览以后，要到大使馆去看一个朋友。不跟我们一起回学校去了。

10 写汉字　Learn to write

辛	丶	亠	立	立	立	辛	辛			
苦	艹	艹	艹	苦						
麻	广	庐	麻							
烦	火	火	炉	炉	炉	烦	烦			
送	丷	丷	关	关	关	送				
展	一	尸	尸	尸	屏	屏	屏	屏	展	
览	丨	叫	此	此	览					
忘	亠	亡	忘							
座	丶	广	广	广	应	座	座	座		
注	氵	氵	注							
约	纟	纟	约	约						
求	一	十	才	才	求	求	求			
清	氵	氵	氵	清	清	清				
楚	木	林	梺	梺	梺	楚				
记	讠	记	记	记						
使	亻	亻	亻	庐	使	使				

Lesson 5

第五课 我听过钢琴协奏曲《黄河》

一 课文 Kèwén ● Text ··

（一）我吃过中药

（山本和爱德华谈来中国后的经历……）

爱德华：山本，你的感冒好了吗？

山 本：好了。来中国以后我已经得过三次感冒了。

爱德华：我一次病也没有得过。

山 本：你身体真不错。我还住过一次院呢，看过中医，也吃过中药。

爱德华：听说中药很苦，是吗？

山 本：有的苦，有的不苦。我喝的是中成药，甜甜的，一点儿也不苦。吃了这些中药我的病就好了。

爱德华：我听说中医看病很有意思。

山　本：中医看病不化验，只用手摸一摸脉就给你开药方。还用按摩、针灸等方法给病人治病。

爱德华：是打针吗？

山　本：不是打针，是扎针。

爱德华：你针灸过吗？

山　本：我按摩过，没有针灸过，但是见过。

爱德华：是什么样的针呢？

山　本：是一种很细很细的针。

爱德华：没见过。

（二）你以前来过中国吗

罗　兰：山本，听说你曾经来过中国，是吗？

山　本：是啊，来过一次。你呢？

罗　兰：我没有来过，这是第一次。你都去过什么地方？

山　本：我已经去过好多地方了。北边去过哈尔滨，南边到过海南岛，东边上过泰山，西边去过西安和敦煌。

罗　兰：你去过的地方真不少。来中国以后，我只去过颐和园、故宫和长城。

山　本：习惯吃中餐了吗？

罗　兰：早就习惯了。

山　本：你吃过哪些中国菜？

罗　兰：吃过很多。最喜欢吃的是北京烤鸭。你爱吃什么？

山　本：中国菜我都爱吃。还爱吃烤白薯、糖葫芦什么的。

罗　兰：看过京剧吗？

山　本：没看过。听说京剧很有意思，我很想去看看。

（三）我听过钢琴协奏曲《黄河》

田　芳：爱德华，你说你是个音乐迷，你听过中国音乐吗？

爱德华：当然听过！

田　芳：听过什么？

爱德华：在加拿大时，我亲耳听过一位中国钢琴家演奏的《黄河》。

田　芳：你觉得怎么样？

爱德华：好极了，真想再听一遍。

田　芳：听过小提琴协奏曲《梁祝》吗？

爱德华：听说过，但是没听过。好听吗？

田　芳：你听了就知道了。

爱德华：我很想听听，你这儿有光盘吗？

田　芳：有。

爱德华：借给我听听吧。

田　芳：你拿去吧。听完就还给我。

爱德华：一定。好借好还，再借不难嘛。

二　生词 Shēngcí ● New Words

1. 经历	（名、动）	jīnglì	experience; to go through; to undergo
2. 过	（助）	guo	(used after a verb to indicate a past action or state)
3. 住院		zhù yuàn	to be hospitalized
4. 中医	（名）	zhōngyī	doctor of traditional Chinese medicine
5. 苦	（形）	kǔ	bitter
6. 中成药	（名）	zhōngchéngyào	prepared Chinese medicine
7. 甜	（形）	tián	sweet
8. 摸	（动）	mō	to feel; to touch
9. 脉	（名）	mài	pulse; arteries and veins
10. 药方	（名）	yàofāng	prescription

11.	按摩	（动）	ànmó	to massage
12.	针灸	（名、动）	zhēnjiǔ	acupuncture and moxibustion
13.	方法	（名）	fāngfǎ	method
14.	治	（动）	zhì	to treat；to cure
15.	扎针		zhā zhēn	to give or have an acupuncture treatment
16.	细	（形）	xì	thin
17.	曾经	（副）	céngjīng	once；used to
18.	好	（副）	hǎo	（used before adjectives to indicate the quantity or degree）
19.	烤鸭	（名）	kǎoyā	roasted duck
	烤	（动）	kǎo	to roast；to bake
20.	第	（头）	dì	（a prefix indicating ordinal numbers）
21.	中餐	（名）	zhōngcān	Chinese food
22.	白薯	（名）	báishǔ	sweet potato
23.	糖葫芦	（名）	tánghúlu	sugarcoated haws on a stick （a popular winter snack in Beijing）
	糖	（名）	táng	sugar
24.	什么的	（助）	shénmede	and so on
25.	亲耳	（副）	qīn'ěr	（to hear sth.）live or on spot
26.	钢琴	（名）	gāngqín	piano

27.	…家	（尾）	jiā	a specialist in certain field
28.	演奏	（动）	yǎnzòu	to play (music instrument)
29.	极了		jí le	extremely; to the greatest extent
30.	小提琴	（名）	xiǎotíqín	violin
31.	协奏曲	（名）	xiézòuqǔ	concerto
	曲	（名）	qǔ	song; melody; concerto
32.	好听	（形）	hǎotīng	pleasing to the ear; melodious
33.	还	（动）	huán	to return; to give back
34.	嘛	（助）	ma	(indicating that the reason is obvious)

专名　Zhuānmíng　**Proper Names**

1.	哈尔滨	Hā'ěrbīn	Harbin (the capital of Heilongjiang Province)
2.	海南岛	Hǎinán Dǎo	Hainan Island
3.	泰山	Tài Shān	Mountain Tai
4.	西安	Xī'ān	Xi'an (the capital of shaanxi Province)
5.	敦煌	Dūnhuáng	Dunhuang (a famous city on the Silk Way)
6.	颐和园	Yíhéyuán	the Summer Palace
7.	故宫	Gùgōng	the Palace Museum
8.	长城	Chángchéng	the Great Wall
9.	黄河	Huáng Hé	the Yellow River
10.	《梁祝》	《Liáng Zhù》	*Liang Zhu* (name of a violin concerto)

（一）《黄河》 The piano concerto *The Yellow River*

根据著名歌曲《黄河大合唱》（张光年作词，冼星海作曲）改编的一首钢琴协奏曲。是中国音乐的经典之作。

A piano concerto adapted from the well-known song *The Yellow River Cantana* (verse by Zhang Guangnian and music by Xian Xinghai). It is now a classic in Chinese music.

（二）《梁祝》 The violin concerto *Liang Zhu*

全称为《梁山伯与祝英台》，是何占豪、陈刚根据中国传统的民间爱情故事创作的著名小提琴协奏曲。

The complete name is *Liang Shanbo and Zhu Yingtai*, a famous violin concerto about a traditional love story in China, composed by He Zhanhao and Chen Gang.

（三）……极了 extremely

"极了"放在形容词和一些动词后边，表示最高的程度。例如：

"极了" is used after adjectives and some verbs to indicate the highest degree, e.g.

好极了　　　大极了　　　冷极了　　　美极了

高兴极了　　关心极了　　喜欢极了

（四）我一次病也没得过 I have never been ill.

汉语用"一……也……"强调完全否定。例如：

In Chinese "一…也…" designtes total negation, e.g.

(1) A：你爸爸来过中国吗？

　　B：他一次也没来过。

(2) 我喝的中药一点儿也不苦，甜甜的。

(3) 这个星期他一天课也没上。

(4) 我一本中文书也没看过。

（Literally）Borrow in time and return in time, it won't be difficult to borrow again next time.

谚语。意思是别人把东西借给自己，要及时地还回去，以后再向人借的时候就不会遇到困难。

It is a Chinese idiom, which means that when we borrow something from others, we should return it back in time. Then people will be willing to lend you again next time.

"嘛" 用在句末，强调肯定的语气。表示事情本应如此或道理显而易见。

The modal particle "嘛", when used at the end of a sentence, emphasizes an affirmative tone. It suggests that something should naturally be so, or that the reason for something is obvious.

四 语法 Yǔfǎ ● Grammar

（一）经历和经验的表达：动词 + 过

Indicating a past experience：Verb ＋过

动词后边带动态助词 "过" 表示动作曾在过去发生。该动作一般不持续，说话时已经停止。强调过去的某种经历。例如：

When a verb is immediately followed by the aspect particle "过", it indicates that the act was taken place in the past and is no longer in progress. The emphasis is on the past experience, e. g.

> 肯定式：动词 + 过
> The affirmative form：Verb ＋过

（1）我以前来过中国。

（2）来中国以后，我去过北京、上海和西安。

（3）我听过中国音乐。

否定式：没（有）＋动词＋过

The negative form：没（有）＋ verb ＋ 过

(4) 我没打过针。

(5) 我没吃过北京烤鸭。

正反疑问句形式：动词＋过＋宾语＋没有？

The affirmative-negative question form：Verb ＋ 过 ＋ Object ＋ 没有？

(6) 你以前来过中国没有？

(7) 你去过香港没有？

（二）动作行为进行的数量：动量补语

Indicating the frequency of an act：the complement of frequency

动量补语说明动作发生或进行的次数。动量补语由数词和动量词"次"、"遍"、"声"、"趟"、"下"等组成。动态助词"了"和"过"要放在动词后，动量补语前。例如：

The complement of frequency is used to indicate the number of times of an act has occurred. This type of complement is formed by a numeral and a verbal classifier such as "次"，"声"，"趟"，"下"，etc. The aspect particles of "了" and "过" are placed after the verb and before the complement, e. g.

（1） 他来过两次中国。

（2） 他敲了一下儿门。

（3） 这个电影我看过两遍。

（4） 你这么忙，还麻烦你跑一趟。

（5） 不回来的同学跟我说一声。

宾语是事物名词时，多放在动量补语后，是人称代词时，必放在动量补语前，人名地名作宾语时，可前可后。例如：

If the object is a noun referring to things, it must be placed after the complement of frequency; if the object is a personal pronoun, it is usually placed before the complement; If the object is the name of a person or place, it can be placed before or after the complement, e. g.

（6） 她住过一次医院。

（7） 他找过你一次。

　　　 不说：＊他找过一次你。

（8） 山本以前来过一次中国。

　　　 也可以说：山本以前来过中国一次。

（9） 我听过一遍课文录音。

比较：“次” 和 “遍”

Compare：“次” and “遍”

“次” 和 “遍” 都表示动作发生的量，但 “遍” 强调的是动作自始至终的全过程。例如：

“次” and “遍” are both used to indicate the number of times an act has occurred, but “遍” emphasizes the whole process from the beginning to the end, e. g.

（10） 这本书很好，我已经看过两遍了。

（11） 这个电影我看了三次也没看完一遍。

比较："过"与"了"

Compare："过"and "了"

否定式不同。

The negative forms differ.

★过：没（有）+动词+过

（12）这个电影我没看过，不知道好不好。

★了：没（有）+动词（不能有"了"）

（13）昨天晚上的电影我没看，不知道好不好。

句子的意思有差别。

The meanings of the sentences also differ.

（14）我学了一年汉语了。（还在学）

我学过一年汉语。（不学了）

（15）他去年跟爸爸去了中国。 （现在还在中国）

他去年跟爸爸去过中国。 （现在已不在中国）

（三）**序数的表达** Ordinal numbers

数词前加词头"第"表示序数。

An ordinal number is indicated in Chinese by adding a "第" before a numeral，e. g.

第一次 第五天 第一个星期 第四十一课

有时数词本身也用来表示序数，不必加"第"。

Sometimes "第" is not added，e. g.

一月 三楼 四门

五 练习 Liànxí ● Exercises ··

1 语音 Phonetics

（1）辨音辨调 Pronunciations and tones

jīnglì jīnglǐ gǎnmào kàn bào

· 80 ·

zhù yuàn　　　　chū yuàn　　　　zhōngyī　　　　zhòng yì

fāngfǎ　　　　fàn fǎ　　　　zhā zhēn　　　　cházhèng

yǎnzòu　　　　yuánqiú　　　　gāngqín　　　　gǎnqíng

(2) 朗读　Read out the following phrases

来过	去过	吃过	喝过
好听	好看	好吃	好玩儿
好极了	冷极了	热极了	好看极了
第一次	第二天	第三年	第四节课

来过中国	吃过馒头	学过汉语	打过篮球
打过电话	喝过中国茶	听过中国歌	看过中国电影
亲耳听过	亲眼看见过	亲口吃过	亲手做过
来过一次中国	吃过一次北京烤鸭	得过一次感冒
一次也没去过	一次也没看过	一遍也没读过

② 替换　Substitution exercises

(1) A：你听过中国音乐吗？

　　B：听过。/没听过。

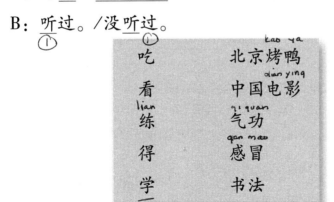

①	②
吃	北京烤鸭　kao ya
看	中国电影　dian ying
练 lian	气功　qi guan
得	感冒　gan mao
学	书法

kao = Bake Roast
dian ying = movie.
lian = white silk.
qiquan = wind pipe
ganmao = cold / Flue

(2) A：你听过几次中国音乐？

　　B：我只听过一次。　zhi

来　　中国
吃　　烤鸭 _{koa ya}
看　　展览 _{zhan lan}
喝　　中药 _{yao}
得　　感冒 _{gan mao}

2hanlan = put on display

(3) A：你<u>参观过</u>这个<u>展览</u>没有？　　(6/7)

B：没有。（我没参观过这个展览。）

学　　太极拳 _{Ti ji quan}
去　　香港 _{xiang gang}
吃　　饺子 _{jiao zi}
看　　中国电影
坐 _{zuo}　飞机
扎 _{za}　针 _{zhen}

Fragrant port

(4) A：你<u>以前 _{yi qin} 来/去过中国</u>吗？　　(6x1)

B：没有，这是第 _{di} 一次。

看　　京剧
听　　中文歌 _{ge}
练 _{lian}　太极拳
参加 _{can jia}　唱歌比赛 _{ge bi sai}
当 _{dang}　翻译 _{Fan yi}
吃　　烤白薯 _{Kao bai shu}

3 选词填空 Choose the right words to fill in the blanks

A. 治　烤鸭　感冒　极了　院　钢琴　菜　中药

(1) 她听过这支＿＿＿＿＿＿协奏曲。

(2) 我从来没有吃过这种＿＿＿＿＿＿。

(3) 我没有喝过＿＿＿＿＿＿。

(4) 他喜欢吃北京＿＿＿＿＿＿。

(5) 按摩能＿＿＿＿＿＿好你的病，你可以试试。

(6) 他演奏得好＿＿＿＿＿＿。

(7) 你住过＿＿＿＿＿＿吗？

(8) 来中国以后我得过一次＿＿＿＿＿＿，没得过别的病。

B. 次　　　　遍

(1) 我已经去过两＿＿次＿＿长城了。

(2) 那个展览我看过一＿＿次＿＿。

(3) 这本小说我看过一＿＿遍＿＿。

(4) 今天的课文我已经读了八＿＿遍＿＿了。

(5) 去年我爸爸来/去过一＿＿次＿＿北京。

(6) 老师，让我们再听一＿＿遍＿＿录音，好吗？

C. 了　　　　过

(1) 我认识李老师，她给我们上＿＿过＿＿课。

(2) 这个语法我们还没有学＿＿过＿＿。

(3) 明天上午下＿＿了＿＿课我就去医院看她。

(4) 我去＿＿过＿＿他家，知道他住在哪儿。

(5) 我只看___过___中国电视，没看___过___中国电影。

(6) 他从香港给我带来___了___一件礼物。

4 按照例句做练习 Practise after the models

> 例：A：你去过美国吗？
>
> B：去过。
>
> A：你去过几次？
>
> B：去过一次。
>
> A：你去过韩国没有？
>
> B：一次也没去过。

(1) 去过一次韩国　　　　没去过日本

(2) 去过两次意大利　　　没去过美国

(3) 去过三次北京　　　　没去过广州

(4) 去过一次上海　　　　没去过杭州

5 根据实际情况回答下列问题

Answer the questions according to actual situations

(1) 来中国以前你学过汉语没有？学过多长时间？

　　　我没学过汉语。

(2) 你以前来过中国没有？来过几次？

(3) 你以前看过中国电影没有？看过几次？看过什么电影？

(4) 你看过翻译的中国小说没有？看过什么小说？

（5）来中国以后去过什么地方？你吃过哪些中国菜？

_____

（6）你去过哪些国家？

_____

（7）你来中国以前工作过没有？做过什么工作？

_____

（8）来中国以后你得过病没有？得过什么病？住过医院吗？

_____

（9）你听过中国音乐吗？学过中国歌没有？

_____

6 改错句　Correct the sentences

（1）从九月开始，我在这个大学学过汉语。

_____

（2）我每天读过一次课文。

_____

（3）来中国以后，我没有看医生过。

_____

（4）我朋友来中国了，上星期我去过看他。

_____

（5）我们见面过一次。

_____

（6）这个中国电影我常常看过在电视上。

_____

7 读后说 Read and express

今天上课，我们学习的语法是"动词＋过"，老师要大家用这个语法，互相问答。同学们问了很多问题，"你以前来过中国没有?"，"吃过中国菜没有?"，"看过中国电影没有?"等等。我问山本："你谈过恋爱没有?"山本脸一红，说当然谈过。山本问我的问题是："你说过谎没有?"我回答，当然说过。记得小时候，有一天我不想去上学了，就给老师打电话，说："老师，我的小麦克病了，今天不能去上课了。"老师一听是我的声音，就问，你是谁呀? 我说："我是我爸爸。"

山本又问马丁说过谎没有。马丁说："没有。山本，我是世界上最老实的人，从来不说谎。也没有谈过恋爱，要是你的男朋友跟你分手了，你就做我的女朋友吧。"

麦克听了大声地对山本说："山本，你别听他的，马丁正在说谎，他谈过三次恋爱。"

听了麦克的话，大家都笑了。马丁说："听了麦克的话，你们就知道什么叫说谎了。"

补充生词 Supplementary words

1. 互相　　hùxiāng　　mutually；each other
2. 说谎　　shuō huǎng　　to tell a lie
3. 谈恋爱　tán liàn'ài　　to be in love

   恋爱　　liàn'ài　　mutual love between man

   　　　　　　　　and women；to be in love
4. 老实　　lǎoshi　　veracious；genuine；honest
5. 分手　　fēn shǒu　　to part company
6. 大声　　dà shēng　　loudly

摸	扌	扩	摸	摸					
按	扌	扌	扩	按					
摩	广	庐	麻	摩					
针	ノ	钅	钅	钅	钅	针			
灸	ノ	ク	久	灸					
细	纟	纟	纠	细	细				
烤	火	灶	灶	烤	烤	烤			
第	ノ	⺮	⺮	竺	竺	笃	笃	第	第
餐	⺊	夘	夘	叔	叔	叔	餐	餐	餐
糖	米	籵	粐	粐	糖	糖			
钢	ノ	钅	钅	钅	钅	钉	钢	钢	
琴	王	珏	琴						
耳	一	丆	丌	丌	耳	耳			
奏	一	二	丰	丰	奏	奏			

Lesson 6

第六课	我是跟旅游团一起来的

一 课文 Kèwén ● Text ··

（一）我是跟旅游团一起来的

（丹尼丝是王老师两年前的学生，她带了一个旅游团来中国旅游，今天她来看王老师……）

丹尼丝：王老师，您好！好久不见了。

王老师：你好！丹尼丝，你是什么时候来的？

丹尼丝：前天刚到的。

王老师：是来学习的吗？

丹尼丝：不是，是来旅行的。

王老师：一个人来的吗？

丹尼丝：不是，我是跟旅游团一起来的。我当翻译，也是导游。

王老师：你已经工作了？

丹尼丝：没有，我还在读研究生。

王老师：是在打工吗？

丹尼丝：是的，利用假期到一家旅行社打工。他们组织了一个旅游团，老板就让我陪他们来了。他知道我需要来中国收集资料，所以，一有来中国的旅游团，他就安排我陪团来。

王老师：这个老板还真不错。

丹尼丝：是。他给了我很多帮助。

王老师：去别的地方了吗？

丹尼丝：去了。我们先在香港玩了三天，又去了深圳，是从深圳过来的。

王老师：坐飞机来的吗？

丹尼丝：不是，坐火车来的。旅游团的人都想坐坐中国的火车，看看铁路两边的风光。

王老师：什么时候回去？

丹尼丝：旅游团后天就回去了。我跟老板商量好了，晚回去几天，我要到孔子的故乡去一趟。今天下午是自由活动时间，所以来看看老师。

王老师：在这儿吃了晚饭再走吧。

（二）你的汉语是在哪儿学的

田芳：麦克，你的汉语是在哪儿学的？

麦克：在美国学的。

田芳：学了多长时间了？

麦克：我是从去年暑假才开始学习汉语的，学了一年多了。

田芳：是在大学学的吗？

麦克：不是。是在一个语言学校学的。

田芳：是中国老师教的吗？

麦克：有中国老师，也有美国老师。你觉得我的汉语说得怎么样？

田芳：马马虎虎。中国人一听就知道你是老外。

麦克：一看也知道我是老外呀，高鼻子，黄头发，蓝眼睛。我知道，我的发音和声调都不太好。

田芳：我们互相帮助好不好？我帮你练汉语，希望你帮我练练英语。

麦克：好啊。不过，我的英语也马马虎虎。

田芳：什么？你不是美国人吗？

麦克：我爸爸是美国人，妈妈是意大利人，我十岁才到的美国。可以当你的老师吗？

田芳：马马虎虎吧。

麦克：不，不能马马虎虎，我们都要认真学习。

二 生词 Shēngcí ● New Words

1. 前天	（名）	qiántiān	the day before yesterday
后天	（名）	hòutiān	the day after tomorrow
2. 导游	（名）	dǎoyóu	tourist guide
3. 研究生	（名）	yánjiūshēng	graduate student
4. 打工		dǎ gōng	to do part-time work
5. 利用	（动）	lìyòng	to make use of; to use
6. 假期	（名）	jiàqī	holiday
7. 旅行社	（名）	lǚxíngshè	traveling agency
8. 组织	（动、名）	zǔzhī	to organize; organization
9. 老板	（名）	lǎobǎn	boss
10. 需要	（动、名）	xūyào	to need; need
11. 经常	（副）	jīngcháng	usually; often
12. 收集	（动）	shōují	to gather; to collect
13. 一…就…		yī…jiù…	as soon as
14. 安排	（动、名）	ānpái	to arrange; arrangement
15. 帮助	（动、名）	bāngzhù	to help; help
帮	（动）	bāng	to help
16. 希望	（动、名）	xīwàng	to hope; hope
17. 铁路	（名）	tiělù	railway

18.	风光	（名）	fēngguāng	scenery
19.	商量	（动）	shāngliang	to consult；to discuss；to talk over with sb.
20.	故乡	（名）	gùxiāng	birthplace；hometown
21.	自由	（形）	zìyóu	free
22.	活动	（名、动）	huódòng	activity；to exercise
23.	互相	（副）	hùxiāng	each other
24.	老外	（名）	lǎowài	international guests；international visitors
25.	呀	（助）	ya	(used in place of "啊" when the preceding character ends in sound a, e, i, o, or ü)
26.	鼻子	（名）	bízi	nose
27.	头发	（名）	tóufa	hair
28.	眼睛	（名）	yǎnjing	eye
29.	声调	（名）	shēngdiào	tone of Chinese characters

专名 Zhuānmíng **Proper Names**

1.	孔子	Kǒngzǐ	Confucius
2.	丹尼丝	Dānnísī	Denise
3.	深圳	Shēnzhèn	Shenzhen（a city in south China near Hong Kong）

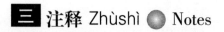 **三 注释** Zhùshì ● Notes

（一）**孔子**（551BC～479BC）　Confucius

中国古代思想家和教育家。儒家的创始人。山东曲阜人。

· 92 ·

Confucius, an ancient Chinese thinker, political philosopher and educationist and the founder of Confucianism. He was from Qufu, Shandong Province.

（二）马马虎虎　so so

(1) 凑合，勉强，不好也不坏　neither so good nor so bad, passable

我汉语说得马马虎虎，中国人一听就知道我是老外。

(2) 随便，不认真　careless, lighthearted

我们不能马马虎虎，要认真学习。

（三）老外　(colloquial) International Guests

中国人把外国人统称为"老外"。

"老外" is a term used by Chinese to refer to all International Guests (It is not an unfriendly term.)

四 语法 Yǔfǎ ● Grammar

（一）是……的

汉语用"是……的"强调已经发生或完成动作的时间、地点、方式、目的、施事和受事等。在肯定句中，"是"可以省略。否定句中"是"不能省略。

The construct "是 … 的" emphasizes the time, location, manner, purpose, subjeet and object etc. , of an act that has already taken place or completed. In an affirmative sentence, "是" may be omitted; in a negative sentence "是" cannot be omitted.

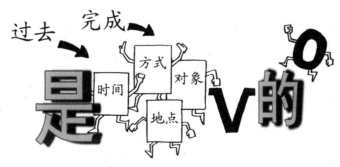

★肯定式　The affirmative form：

（1）我（是）去年九月来中国的。

（2）我们（是）从美国来的。

（3）他（是）坐飞机来的。

★否定式　The negative form：

（4）我不是来旅行的，我是来留学的。

（5）她不是一个人来的，是跟朋友一起来的。

（6）他们不是坐火车来的，是坐飞机来的。

动词如果有名词作宾语时，宾语常常放在"的"后边。例如：

If the verb takes a noun as its object, the object is often placed after "的", e. g.

（7）A：你是在哪儿学的汉语？

　　　B：在北京学的（汉语）。

（8）A：你怎么去的上海？

　　　B：我坐飞机去的上海。

（二）一……就…… as soon as …

"一……就……"连接一个复句。

"一…就…" links a complex sentence to indicate

A. 表示后一动作紧跟着前一动作发生。例如：

the second act immediately follows the first act, e. g.

（1）今天我一下课就去看你。

（2）他一到中国就给我来了个电话。

（3）姐姐一毕业就参加工作了。

B. 表示前一动作是条件和原因，后一动作是结果。例如：

the first act is the condition or the cause of the second act, e. g.

（4）中国人一听就知道你是老外。

（5）我一感冒就咳嗽。

（6）她一喝酒就脸红。

（7）一有来中国的旅游团，他就安排我陪团。

（三）程度的表达：形容词重叠 Indicating a degree：the reduplication of adjectives

汉语有些形容词可以重叠使用，表示程度深。单音节形容词的重叠形式是AA，口语中第二个音节可以儿化。如：

Some Chinese adjectives can be reduplicated to indicate a higher degree. The reduplicated form for monosyllabic adjectives is AA, of which the second syllable may be retroflexed, e. g.

（1）好好儿 慢慢儿 早早儿 远远儿

（2）我高高的鼻子，黄黄的头发，中国人一看就知道我是老外。

（3）别着急，你慢慢儿说。

双音节形容词的重叠式为：AABB。重叠后第二个音节可以读轻声。如：高高兴兴、漂漂亮亮、马马虎虎等，作状语时一般要带"地"。

The reduplicated form for disyllabic adjective is：AABB, in which the second syllable may be neutralized with a neutral tone. For example：高高兴兴，漂漂亮亮，马马虎虎, etc. When a reduplicated disyllabic adjective functions as adverbial, "地" is usually added after it, e. g.

（4）她高高兴兴地对我说，下个月就要结婚了。

五 练习 Liànxí ● Exercises ⋯⋯⋯⋯⋯⋯⋯⋯⋯⋯⋯⋯⋯

❶ 语音 Phonetics

（1）辨音辨调 Pronunciations and tones

dǎoyóu	dàoliú	xūyào	xīyào
lìyòng	lǐyóu	lǎobǎn	rǎoluàn

yánjiū   yān jiǔ   zìyóu   jí yóu

(2) 朗读   Read out the following phrases

研究问题   研究语言   研究文化   认真研究
高高兴兴   漂漂亮亮   马马虎虎   清清楚楚
一听就懂   一看就会   一说就知道
一感冒就发烧   一感冒就咳嗽   一喝咖啡就不能睡觉
一下课就吃饭   一下课就回宿舍   一做完练习就看电视

2 替换   Substitution exercises

(1) A：你去北京了吗？

　　B：去了。

　　A：你是什么时候去的北京？

　　B：我是上个星期去的。

银行	前天
邮局	昨天
大使馆	上星期
王老师家	昨天晚上
医院	今天上午
公园	星期日

(2) A：她是从哪儿来的？

　　B：她是从德国来的。

　　A：她是一个人来的吗？

B：不是，她是跟旅游团一起来的。

美国	朋友
日本	丈夫
香港	参观团
加拿大	公司经理
韩国	体育代表团
意大利	她爸爸

(3) A：你们去博物馆了吗？

B：去了。

A：你们是怎么去的？

B：我们是坐汽车去的。

体育馆	骑车
展览馆	打的
花店	走路
西安	坐火车
法国	坐飞机

(4) A：你是来留学的吗？

B：不是。我是来旅行的。

旅行	参加比赛
买书	买光盘
参加比赛	看比赛
学习语言	学习中医
参观	照相
报名	考试

(5) A：你的汉语是在哪儿学的？

B：在我们大学学的。（我的汉语是在我们大学学的。）

这件毛衣	买	中国
这张光盘	买	书店
这件衣服	做	北京
研讨会	举行	台湾
电影节	举行	上海
晚会	举行	礼堂

(6) 一看就知道我是老外。

听	知道他是南方人
听	喜欢这个歌
用	觉得不错
看	知道好不好
喝	知道是什么茶
摸	知道你有什么病

3 选词填空 Choose the right words to fill in the blanks

| 陪 组织 希望 风光 收集 互相 研究 老板 利用 需要 |

(1) 丹尼丝_____的是中国的孔子。

(2) 她常_____暑假去一家公司打工。

(3) 我这次来是为写论文_____资料的。

(4) 学好一门外语_____时间。着急是不行的。

(5) 他现在已经是一家大公司的_____了。

(6) 我_____毕业以后能当翻译。

(7) 她这次是_____代表团来的。

(8) 我们班的同学都能_____帮助，_____学习。

(9) 坐火车去可以看看铁路两边的_____。

(10) 学校_____我们去南方旅行了一趟，去了好多地方。

4 按照例句做会话练习 Compose dialogues after the model

例：什么时候　　哪儿　　怎么　　跟谁
　　前天　　　　深圳　　坐火车　旅游团

A：丹尼丝是什么时候来的？

B：前天。

A：她是从哪儿来的？

B：她是从深圳来的。

A：她是怎么来的？

B：坐火车来的。

A：她是一个人来的吗？

B：不是，她是跟旅游团一起来的。

(1) 玛丽 [Mali]	去年九月	英国	坐飞机	同学
(2) 小张 [xiao zhang]	上个月	上海	坐火车	旅游团
(3) 你哥哥 [ge ge]	早上	旅行社	坐出租车	老板
(4) 小王 [xiao wang]	上午	学校	骑自行车	朋友
(5) 秘书 [qiu shu]	八点	外贸公司	开车	经理

⑤ 根据实际情况回答下列问题

Answer the questions according to actual situations

(1) 你是什么时候来中国的？

_____

(2) 你是从哪国来的？

_____

(3) 你以前来过中国吗？这是第几次？

_____

(4) 你是怎么来的？

_____

(5) 你是一个人来的吗？

_____

(6) 来中国以前你工作过没有？

_____

(7) 你学过什么外语？

_____

(8) 你是在哪儿学的？

_____

6 你是记者，请对 B 进行采访　Act as a reporter and interview B

A：_____！

B：你好！

A：_____？

B：昨天刚到的。

A：_____？

B：我是从英国来的。

A：_____？

B：不，我是和女儿一起来的。

A：_____？

B：我女儿在语言大学读书。

A：_____？

B：我来参加一个研讨会。

A：_____？

B：我觉得很好。

A：_____？

B：我已经来过中国很多次了，所以没有不习惯的问题。

A：_____。

B：不客气。

7 完成句子　Complete the following sentences

例：下午一到四点我就去操场锻炼身体。

(1) 我每天一起床就_____。

(2) 她一到冬天就_____。

(3) 她一感到寂寞就_____。

· 101

（4）他一喝酒脸_____。

（5）这种花一到夏天就_____。

（6）我一喝咖啡就_____。

（7）他一下课就_____。

（8）她一感冒就_____。

8 改错句　Correct the sentences

（1）你是什么时候来了中国？

_____

（2）我是在操场看见了玛丽的。

_____

（3）他是今年九月来中国了。

_____

（4）我来中国不是坐火车的。

_____

（5）她是前天下午到了上海。

_____

（6）我汉字写得很马马虎虎。

_____

（7）我们是坐汽车到博物馆去的参观。

_____

（8）我是和朋友一起去大使馆。

_____

9 读后说 Read and express

　　我是前天到的北京，两年前曾经在中国学过两年汉语，是王老师的学生。这次我不是来学习的，是来旅行的。我不是一个人来的，是跟旅行团一起来的。我是旅行团的导游兼翻译。我现在还没有工作，在读研究生，研究的课题是《孔子与中国》，业余时间或寒暑假到一个旅行社去打工。这次，他们组织了一个旅游团，老板就让我陪团来了。他知道我需要经常来中国收集资料，所以，一有来中国的旅游团，就安排我陪团。我们先到香港，在香港玩了三天，又去了深圳，前天是从深圳坐火车过来的。原来打算坐飞机，但是旅行团的人都没有坐过中国的火车，很想坐坐中国的火车，看看铁路两边的风光。旅游团后天就回去了，我跟老板说好了，晚回去几天，等送他们上了飞机，我要到山东孔子的故乡去一趟。今天下午是自由活动时间，来看看王老师。

补充生词 Supplementary words

1.	兼	jiān	to act as…；at the same time
2.	课题	kètí	issue；topic for study or discussion
3.	与	yǔ	and；with

---

10 写汉字 Learn to write

导	⊃	⊐	巳	皀	昇	导					
需	一	一	帚	帚	帚	帚	需	需	需		
组	纟	纟	纴	纽	组						
织	纟	纫	纱	织							

收	㇑	㇙	收	收	收	收				
利	㇒	㇓	禾	利	利	利				
铁	㇒	㇑	㇐	钅	钅	针	钅	铄	铁	
由	㇑	冂	由	由	由					
鼻	自	自	鼻	鼻	鼻	鼻	鼻	鼻		
眼	㇑	冂	冃	目	目	眼	眼	眼	眼	眼
量	甲	昌	量							
互	㇐	丆	互	互						
相	木	木	相	相	相	相				
帮	㇐	二	三	丰	邦	帮	帮			
助	㇑	冂	月	月	且	助	助			

Lesson 7

第七课	我的护照你找到了没有

一 课文 Kèwén ● Text ·················

（一）我的护照你找到了没有

（关经理的护照不知道放在什么地方了，他要妻子夏雨帮他找……）

关：我的护照你找到了没有？

夏：没有，我找了半天也没找着。你是不是放在办公室了？

关：护照我从来不往办公室里放。

夏：昨天你办完签证放在什么地方了？

关：放在我的手提包里了。

夏：你的包呢？

关：我一回到家不是就交给你了吗？

夏：对。我再好好儿找找。啊，找到了！

关：是在包里找到的吗？

夏：不是，在你的大衣口袋里找到的。

关：啊，我忘了。是我昨天晚上放到口袋里的。

夏：你最近总是丢三落四的。

（二）我是球迷

A：你喜欢足球吗？

B：一般，你呢？

A：你没发现吗？我可是个球迷。

B：迷到什么程度？

A：为了看球，饭我可以不吃，觉我可以不睡，工作我可以不干。

B：我看球迷一个个都有点儿不正常。

A：我也承认。有时候迷到了发狂的程度。欧锦赛（欧洲足球锦标赛）期间，我像生了病一样。白天想睡觉，一到晚上就特别有精神。

B：你白天不工作吗？

A：这个商店是我自己开的，我在门上贴了一张通知："暂停营业"。

B：你可真够迷的。

A：我还不算最迷的。

B：还有比你更迷的吗？

A：有，多的是。我有一个朋友，在一家外国公司工作，为了能去国外亲眼看看世界杯足球赛，他向老板请假，老板不准，他就辞职不干了。

B：最后去成了吗？

A：去成了。我真佩服他。能去亲眼看看世界杯赛，太
棒了。

二 生词 Shēngcí ● New Words

1. 放	（动）	fàng	to put
2. 半天	（名）	bàntiān	quite a while；half a day
3. 着	（动）	zháo	（used after a verb to indicate having reached a goal or got the result）
4. 签证	（名）	qiānzhèng	visa
5. 手提包	（名）	shǒutíbāo	bag；handbag
6. 交	（动）	jiāo	to hand in；to give
7. 好好儿	（副）	hǎohāor	to try one's best
8. 大衣	（名）	dàyī	overcoat
9. 口袋	（名）	kǒudai	pocket
10. 丢三落四		diū sān là sì	forgetful
丢	（动）	diū	to lose
落	（动）	là	to be missing；to forget to bring
11. 发现	（动）	fāxiàn	to find out；to discover
12. 球迷	（名）	qiúmí	ball fan
13. 可	（副）	kě	（used for emphasis）
14. 程度	（名）	chéngdù	extent；degree
15. 为了	（介）	wèile	for；in order to；for the sake of

16. 正常	（形）	zhèngcháng	normal; usual; regular
17. 承认	（动）	chéngrèn	to agree; to admit; to recognize
18. 发狂		fā kuáng	to go mad; to be crazy; to lose control
19. 锦标赛	（名）	jǐnbiāosài	tournament
20. 期间	（名）	qījiān	period
21. 像	（动）	xiàng	to look as if; seem; like; such as
22. 生病		shēng bìng	to fall ill
23. 白天	（名）	báitiān	day; daytime
24. 精神	（形）	jīngshen	vigorous; spirited
25. 贴	（动）	tiē	to paste; to attach a thin slip on something by glue
26. 通知	（名、动）	tōngzhī	notice; to give notice
27. 暂停	（动）	zàntíng	to suspend; to stop for the time being
28. 营业	（动）	yíngyè	in business
29. 够	（副）	gòu	reaching a certain point or certain extent
30. 算	（动）	suàn	to consider; to regard as; to count as
31. 多的是		duō de shì	many; a lot of
32. 亲眼	（副）	qīnyǎn	(to see) with one's own eyes
33. 世界杯	（名）	Shìjièbēi	the World Cup
34. 准	（动）	zhǔn	to allow; to permit
35. 辞职		cí zhí	to resign

Kǎi duan

36. 最后	（名）	zuìhòu	final; last
37. 成	（动）	chéng	to succeed
38. 佩服	（动）	pèifú	to think highly of; to admire
39. 棒	（形）	bàng	good; fine; excellent; strong

专名　Zhuānmíng　**Proper Names**

1. 欧洲	Ōuzhōu	Europe
2. 夏雨	Xià Yǔ	Xia Yu（name of a Chinese）

三 注释 Zhùshì ● Notes

（一）我找了半天也没找着

句中"半天"的意思是，说话人觉得时间比较长。

"半天"in this context means "a long while".

（二）我看球迷一个个都有点儿不正常

句中"我看"的意思是"我认为"、"我想"，表示下文要谈自己的想法、意见或主张。

"我看"in the sentence means "in my opinion" or "I think" and is followed by the opinions of the speaker.

四 语法 Yǔfǎ ● Grammar

E Program files Book1

（一）主谓谓语句（2）

The sentence with a subject predicate-phrase as its predicate（2）

用一个主谓词组对某一对象（句子的主语）加以说明或描写的句子也是一种主谓谓语句。句子的结构形式是：

When a subject-predicate phrase is used to describe or illustrate something (the subject of the main sentence), it forms a sentence with a S-P predicate. The sentence structure is:

> 大主语（名词1）＋（小主语（名词2）＋ 动词）
>
> Subject（Noun 1）＋ predicate（Subject（Noun 2）＋ Verb）

句中的名词1常常是动词的宾语。例如：

Noun 1 in this kind of sentence is often the object of the verb, e. g.

(1) 足球你喜欢吗？

(2) 饭我可以不吃，觉我可以不睡，工作我可以不干。

(3) 我的护照你找到了没有。

（二）结果补语：在、着（zháo）、好、成

The complement of result：在，着，好，成

1. 动词＋在　verb＋在

表示通过动作使某人或某事物处于某处。宾语为处所词语。例如：

This construct indicates the location or position to which someone or something is placed through an act. Its object is a word denoting place, e. g.

(1) 我的词典你放在哪儿了？

(2) A：我的护照你放在哪儿了？

　　B：就放在你的口袋里了。

(3) A：这张画我们挂在哪儿呢？

　　B：挂在这儿吧。

2. 动词 + 着（zháo）　　verb + 着（zháo）

表示动作的目的达到了或有了结果。例如：

This construct indicates that an aet has fulfilled its purpose or has some kind of results，e. g.

(1) 你要的那本书我给你买着了。

(2) 我的护照你给我找着了没有？

(3) 你睡着了吗？

3. 动词 + 好　　verb + 好

表示动作完成并达到了完善、令人满意的程度。例如：

This construct indicates that an act has been finished to a satisfying degree，e. g.

(1) 你的衣服洗好了吗？

(2) 昨天晚上我没有睡好。

(3) 我跟老板商量好了。

4. 动词 + 成 verb + 成

表示动作完成，达到了目的，某事物因动作而发生了变化或出现了错误的结果。例如：

This construct indicates the completion of an act，something is done，changed or unexpecfed outcomes are brought about by an action，e. g.

(1) A：最后去成了吗？

    B：去成了。

(2) 这篇故事他翻译成了英语。

(3) 这个"我"字你写成"找"字了。

(4) 这座大楼是什么时候建成的？

五 练习 Liànxí ● Exercises ....

1 语音 Phonetics

(1) 辨音辨调 Pronunciations and tones

hùzhào	fǔdǎo	tōngzhī	tóngzhì
zàntíng	zhǎntīng	qījiān	qīxiàn
zuìhòu	suíhòu	zhèngcháng	zhēn cháng

(2) 朗读 Read out the following phrases

看了半天	等了半天	找了半天	写了半天
放在手提包里	放在桌子上	写在本子上	挂在墙上
交给老师	借给同学	寄给妈妈	送给朋友
去成了	做成了	写成了	变成了
译成汉语	写成小说	改成会话	换成人民币

2 替换 Substitution exercises

(1) A：我的护照你放在哪儿了？

   B：放在大衣口袋里了。

今天的报	放	那个房间里
我的手机	放	手提包里
那张光盘	放	桌子上
汽车	停	停车场
照相机	放	车里

(2) A：我的护照你找着了没有？

   B：找着了。

手机	找
她的手提包	找
我要的书	买
照片	拿
房子	租
飞机票	买

(3) A：作业你交给老师了没有？

   B：交给老师了。

那本书	还	图书馆
那些钱	还	张东
生日礼物	送	玛丽
那张照片	寄	妈妈
那张光盘	借	麦克

(4) A：你什么时候<u>交给我</u>的？

  B：我一<u>回到家</u>就<u>交给你</u>了。

还给图书馆	看完
还给张东	用完
送给玛丽	到教室
寄给妈妈	洗好
借给麦克	买回来

3 选词填空 Choose the right words to fill in the blanks

A. 丢 半天 为 放 给 京剧迷 好 着

(1) 我的护照你 <u>放</u> 在什么地方了？

(2) 你的签证办 <u>好</u> 了没有？ ban =

(3) 那本书我一看完就还 <u>给</u> 你了，你怎么忘了？

(4) 那个电影的光盘你买 <u>着</u> 了吗？

(5) 我找了 <u>半天</u> 才找到。

(6) 听说我们老师中有不少 <u>京剧迷</u>

(7) <u>为</u> 给朋友帮忙，他饭都没吃就走了。

(8) 你怎么了，最近总是 <u>丢</u> 三落四的。

B. ✓

(1) 昨天我看 <u>了</u> 一个文物展览。 （过 **了**）

(2) 你买 DVD <u>了</u> 没有？ （过 **了**）

(3) 我去 <u>过</u> 那儿，我带你去吧。 （**过** 了）

· 114 ·

（4）我没有看_____这本书，不知道好不好。　　（过）了）

（5）来中国以后，我没有得_____病。　　（过）了）

（6）请大家再听一_____。　　（次　遍）

（7）这个公园我一_____也没去过。　　（次）遍）

（8）这种药一天吃三_____，一_____吃两片。　　（次）遍）

（9）香港我已经去过两_____了。　　（次）遍）

（10）每课课文我都要读七八_____。　　（次　遍）

4 用适当的结果补语填空　Fill in the blanks with appropriate complements of result

（1）请大家准备___好）___笔和本子，现在听写句子。

（2）我发___给）___你的伊妹儿，你收___到___了没有？

（3）那本书你找___到）___了没有？

（4）A：吃___完）___晚饭我们一起去跳舞吧。

　　B：不行，今天的作业还没做___完）___呢。吃___完_____
　　　晚饭我要做作业。

（5）A：这瓶花我们放___在）___什么地方呢？

　　B：放___在）___桌子上吧。

（6）A：这件礼物是谁送___给）___你的？

　　B：一个同学送___给）___我的。

5 用动词和补语填空　Fill in the blanks with verbs and complements of result

（1）昨天买来的那本新书你___放在___哪儿了？　　（二）在着好成

（2）这张画咱们___放在___什么地方呢？

（3）车我已经___听在___楼下了。

（4）这张照片我___贴在___墙上，怎么样？

(5) 你要的词典我给你____了。 借着，买着，找着

(6) 山本过生日，我们__送给__她一件什么礼物呢？

(7) 今天的生词我还没__背__呢。 教了学会/学完/学完

(8) 那张照片我已经__寄给/送给__妈妈了。

6 改错句 Correct the sentences

(1) 昨天晚上，我到十点工作。

_____

(2) 这张唱片我一听完就来给你还。

_____

(3) 老师的电话号码我忘了，因为我没记住在本子上。

_____

(4) 我下了飞机就看了爸爸。

_____

(5) 我打算在这儿到明年七月学习。

_____

(6) 她进步很大，现在已经能听见老师的话了。

_____

7 读后说 Read and express

丢了斧子以后

从前，有一个人丢了一把斧子。他怀疑自己的斧子是邻居的儿子偷走的。于是，他就注意邻居儿子的一举一动，一言一行。他觉得这个孩子走路的样子跟小偷一样，说话跟小偷一样，脸上的表情也跟小偷一样，他的一言一行，一举一动都像是偷斧子的。

后来，丢斧子的人找到了自己的斧子，原来是他到山上去砍柴时，丢在山上了。

找到斧子以后，他再看邻居的儿子，觉得他走路的样子，跟小偷不一样，说话的样子也跟小偷不一样，他的一言一行，一举一动都不像小偷了。

<table>
<tr><td colspan="4" align="center">补充生词　Supplementary words</td></tr>
<tr><td>1.</td><td>斧子</td><td>fǔzi</td><td>axe</td></tr>
<tr><td>2.</td><td>邻居</td><td>línjū</td><td>neighbor</td></tr>
<tr><td>3.</td><td>偷</td><td>tōu</td><td>to steal</td></tr>
<tr><td>4.</td><td>小偷</td><td>xiǎotōu</td><td>petty thief</td></tr>
<tr><td>5.</td><td>表情</td><td>biǎoqíng</td><td>expression</td></tr>
<tr><td>6.</td><td>言行</td><td>yánxíng</td><td>words and deeds；statement and actions</td></tr>
<tr><td>7.</td><td>举动</td><td>jǔdòng</td><td>movement</td></tr>
<tr><td>8.</td><td>砍柴</td><td>kǎnchái</td><td>to cut firewood</td></tr>
</table>

8 写汉字　Learn to write

护	扌	扩	扩	护	护					
照	日	昭	昭	照	照	照	照			
签	⺮	⺮	⺮	笁	签	签	签	签	签	
证	证	证								
袋	亻	代	代	代	袋					
丢	一	壬	丢	丢	丢	丢				

程	一	二	千	禾	禾	和	程				
承	了	了	了	子	手	承	承	承			
狂	丿	犭	犭	狂							
精	米	米	米	精	精	精					
神	丶	礻	礻	礻	补	初	神	神			
赛	宀	宀	宇	宰	寒	寒	寒	寒	寒	赛	
贴	丨	口	贝	则	则	贴	贴				
暂	车	斩	暂								
营	艹	艹	苫	营	营						
辞	丿	二	舌	舌	舌	舌	舌	辞	辞	辞	
棒	木	木	栏	棒	棒	棒	棒	棒	棒		

Lesson 8

第八课	我的眼镜摔坏了

一 课文 Kèwén ● Text ···

（一） 我们的照片洗好了

（玛丽和麦克在看刚洗好的照片……）

玛丽：我们在长城照的照片洗好了吗？

麦克：洗好了。

玛丽：照得怎么样？快让我
　　　看看。

麦克：这些照得非常好，张张
　　　都很漂亮。这些照得不
　　　太好。

玛丽：这张也没照好，人照小
　　　了，一点儿也不清楚。你再看看这张，眼睛都闭上了，
　　　像睡着了一样。

麦克：这张怎么样？

· 119 ·

玛丽：不怎么样。洗得不太好，颜色深了一点儿。这两张洗得最好，像油画一样。

麦克：再放大两张吧。

玛丽：放成多大的？放大一倍怎么样？

麦克：放成十公分的就行了。

（二）我的眼镜摔坏了

（一个下雪天的早上，在办公室里，两个人在说城市交通问题……）

小白：哎呀，差点儿迟到。

小黄：是开车来的吗？

小白：是，一下雪就堵车，又碰上一起交通事故，我的车在路上整整堵了二十分钟。

小黄：你的眼镜怎么了？

小白：别提了，今天倒霉得很。我刚出门就摔了一跤，眼镜也掉在地上摔坏了。

小黄：几点从家里出来的？

小白：六点钟就从家里出来了，你看，快八点了才到。

小黄：所以，我还是愿意骑车上班，骑车能保证时间，还可以锻炼身体。

小白：可是，你别忘了，骑车的人太多，有的人又不遵守交通规则，也是造成交通拥挤的主要原因之一。今天的事故就是一辆自行车引起的。

小黄：有汽车的人也一年比一年多，城市交通是一个大问题。
我看最好还是赶快发展地铁。

二　生词 Shēngcí ⬤ New Words

1. 照	（动）	zhào	to take（a photo）
2. 洗	（动）	xǐ	to develop（a film）
3. 闭	（动）	bì	to close
4. 油画	（名）	yóuhuà	oil painting
5. 放大	（动）	fàngdà	to enlarge
6. 倍	（量）	bèi	times; -fold
7. 公分	（量）	gōngfēn	centimeter
8. 差（一）点儿		chà（yi）diǎnr	almost
9. 碰	（动）	pèng	to meet; to run into
10. 起	（量）	qǐ	（a classifier for accident）
11. 事故	（名）	shìgù	accident
12. 整	（形）	zhěng	full; whole
13. 眼镜	（名）	yǎnjìng	glasses
14. 别提了		bié tí le	Don't mention it.
15. 倒霉	（形）	dǎoméi	being down on one's luck
16. 摔跤		shuāi jiāo	to have a fall
摔	（动）	shuāi	to fall; to tumble; to break
17. 掉	（动）	diào	to drop

18.	地上	（名）	dìshang	ground
19.	上班 ✓		shàng bān	to go to work；to be on duty
	下班		xià bān	to go off work；to knock off
20.	保证	（动）	bǎozhèng	guarantee
21.	遵守	（动）	zūnshǒu	to abide by
22.	规则	（名）	guīzé	rule
23.	造成	（动）	zàochéng	to cause；to bring about
24.	拥挤	（动、形）	yōngjǐ	to be crowded；crowded
25.	主要	（形）	zhǔyào	main
26.	原因	（名）	yuányīn	reason
27.	之一		zhī yī	one of
28.	引起	（动）	yǐnqǐ	to cause
29.	赶快	（副）	gǎnkuài	hurriedly；quickly
30.	发展	（动）	fāzhǎn	to develop

三 **注释** Zhùshì ● Notes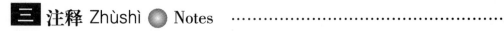

（一）不怎么样 Not so good.

"不怎么样" 的意思是不好。表示不满意。

This expression means "not good" or "no good", showing dissatisfaction.

（二）颜色深了一点儿 The colour is a little too dark.

"形容词＋了（一）点儿" 表示跟某一个标准相比，程度不合适。表示不满意。例如：

"Adjective + 了（一）点儿" suggests inappropriateness in degree，when mea
suredwith a criterion. It implies dissatisfaction.

（1）这条裤子长了一点儿。

（2）这本书贵了一点儿。

（三）别提了 Don't mention it.

"别提了"的意思是：别说了。表示人或事非常让人不满或苦恼，使说话人
不愿说起。有感叹语气。例如：

"别提了"means "Don't mention it（to me）". It is said when the speaker feels
that someone or something is very unpleasant or annoying and does not want to mention
him/her/it again. Sometimes it is said with an exclamatory tone，e. g.

A：你怎么了？

B：嗨，别提了，昨天又拉肚子了。

（四）差（一）点儿 nearly；almost

副词。在句中作状语。

Adverb. Functions as abverbial in a sentence.

A. 如果是不好的事情，表示几乎发生而没有发生，有庆幸的意思。后边的
动词用肯定式或否定式，意思相同。都是没有发生。例如：

If the thing referred to is undesirable，this phrase is used to indicate that it nearly
happened but didn't actually happen，and connotes a tone of being fortunate. The
verbs that follow may use either the affirmative or the negative forms；the meanings are
the same，indicating something did not happen. For example，

1. 今天早上，我差点儿迟到。/今天早上我差点儿没迟到。（都是
没有迟到）

2. 我差点儿摔倒。/我差点儿没摔倒。（都是没有摔倒）

B. 如果是好事，"差点儿"后面的动词用否定式时，表示最后实现了，有庆幸的意思。动词用肯定式时，表示最后没有实现，有惋惜、遗憾的意思。例如：

If it is something desirable, either the affirmative or the negative form of the verb may be used. The negative form indicates that something did happen (finally) and connotes a rejoicing tone. The affirmative form indicates something did not happen (eventually) and connotes regret and pity. For example,

3. 只有这一个了，我差点儿没买到。（买到了）

4. 到我这儿正好卖完，我差点儿就买到了。（没买到）

5. 我差点儿没考上大学。（考上了）

6. 去年，他差点儿就考上了。（没考上）

（五）今天倒霉得很 Today is not my day.

副词"很"作补语表示程度高。例如：

When the adverb "很" is used as a complement, it emphasizes the highness in degree.

（1）今天倒霉得很。

（2）听说北京的冬天冷得很。

（3）昨天的晚会开得好得很。

四 语法 Yǔfǎ ● Grammar

（一）被动意义的表达：被动句 The expression of the passive: passive sentences

汉语句子的主语可以是动作发出者，也可以是动作接受者。前者是主动句，后者是被动句。强调或说明动作对象怎么样时，可以用被动句。被动句的结构形式是：

The subject of a Chinese sentence may be the agent as well as the recipient of an act. The former is an active construction, the latter is passive. When the target of an act is emphasized or illustrated, a passive sentence is used. The basic structure for passive sentence is:

> 受事主语 + 动词 + 其他成分
> Subject (Recipient of an act) + Verb + Other sentence elements

（1）我的眼镜摔坏了。

（2）照片洗好了。

（3）我的护照找到了吗？

（4）她的字写得真不错。

（二）量词重叠 The reduplication of classifiers

汉语的名量词和动量词都可重叠使用，表示"每"的意思。例如：

Nominal and verbal classifiers can both be reduplicated to mean "every", e. g.

（1）这些照片张张照得都很好。

（2）我们班的同学个个都很努力。

（3）他们跟我们班赛足球场场输。

（三）一年比一年 year by year

"一年比一年"作状语，说明随着时间的推移，事物变化程度的递增。还可以说"一天比一天"。

"一年比一年" is used as an adverbial to indicate the increasing change in something with the change of time. A similar phrase is "一天比一天"(day by day).

（1）有汽车的人一年比一年多。

（2）来中国以后，我一天比一天胖。

1 语音 Phonetics

（1）辨音辨调 Pronunciations and tones

zhǔyào	zhòngyào	yǎnjīng	yǎnjing
chídào	zhīdào	shìgù	shīfu
bǎozhèng	bǎozhēn	yōngjǐ	yǐngjí
yuányīn	yuǎnyǐng	dìtiě	tǐtiē

（2）朗读 Read out the following phrases

好得很　坏得很　忙得很　快得很

疼得很　冷得很　热得很　困得很

碰见了　　碰坏了　　碰疼了

眼镜摔坏了　杯子摔坏了　手机摔坏了

作业做完了　生词预习好了　课文读熟了

差点儿迟到　差点儿没迟到　差点儿摔坏

AA → 张张都很漂亮　人人都很忙　个个都很努力

2 替换 Substitution exercise

（1）A：怎么了？

B：眼镜摔坏了。

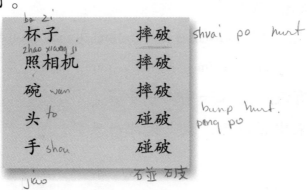

杯子	摔破
照相机	摔破
碗	摔破
头	碰破
手	碰破

(2) A：<u>眼镜摔坏</u>了没有？

    B：没有。

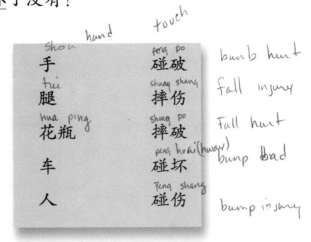

手 (shou, hand)	碰破 (peng po, bump hurt)
腿 (tui)	摔伤 (shuai shang, fall injury)
花瓶 (hua ping)	摔破 (shuai po, fall hurt)
车	碰坏 (peng huai (huay), bump bad)
人	碰伤 (peng shang, bump injury)

(3) A：<u>照片洗好</u>了吗？

    B：<u>洗好</u>了。

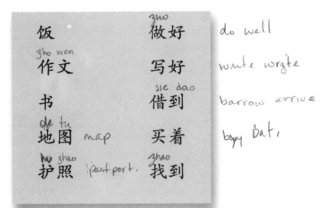

饭	做好 (zuo, do well)
作文 (zuo wen)	写好 (write write)
书	借到 (jie dao, barrow arrive)
地图 (de tu, map)	买着 (bay, bati)
护照 (hu zhao, passport)	找到 (zhao)

(4) A：<u>作业做完</u>了吗？

    B：还没<u>做完</u>呢。／快<u>做完</u>了。

饭	做好 (zhao)
衣服 (yi fu)	洗完 (xi)
钱	用完 (yong)
作文	写好
照片 (zhao)	洗好 (xi)

Tip top
(write)
122 ①

(5) A：这张照片照得怎么样？

   B：不怎么样。

这张画儿	画
你的汉字	写
他的歌	唱
你的英语	说
这件衣服	做

#3
125

(6) 这张照片一点儿也不清楚。

这道题	不难
这个菜	不好吃
这件衣服	不贵
那本书	没有意思
这个电影	不好看

❸ 选词填空 Choose the right words to fill in the blanks

放 赶快 造成 多 很 就 一样 摔 照 差点儿

(1) 这张照片_____得好极了。

(2) 买汽车的人一年比一年_____。

(3) 这张照片请再给我_____大三张。

(4) 我的眼镜都_____破了。

(5) 我_____没摔倒。

(6) 一到下班时间路上_____堵车。

· 128 ·

(7) 自行车太多是____造成____交通拥挤的主要原因。

(8) 最好的办法还是____赶快____发展地铁。

(9) 最近我忙得____很____。

(10) 这些照片张张都像油画____一样____。

④ 填结果补语 Fill in the complements of result

(1) 衣服洗____完 / 好____了。

(2) 作业做____完____了。(do)

(3) 钥匙找____到____了。

(4) 自行车修____好____了。

(5) 这篇课文我一点儿也没看____懂____。

(6) 花瓶摔____坏____(huài)了。

(7) 你要的词典买____到____了。

(8) 对不起，你的话我没听____见____，我正在听录音呢。

⑤ 改错句 Correct the sentences

(1) 照相机我不小心坏了。

_____

(2) 我已经完了今天的作业。

_____

(3) 上课完了我就去商店买衣服。

_____

(4) 我的自行车朋友借了。

_____

(5) 黑板上的字你看见清楚了吗？

_____

(6) 那本书找了很长时间也不找到。

_____

6 综合填空 Fill in the blanks

你去哪儿

我的一个朋友在首都剧场附近开①_____一个小公司。那天很忙，职员们都没有吃午饭，她为了②_____大家买吃的，就打的去了"麦当劳"（Màidāngláo：McDonald）。买好了饭就又打的③_____回走。司机问她去哪儿，她说："首都jī场"，司机奇怪地看了她一眼，但是还是开车走了。走④_____好长时间，我的朋友觉得不对，就⑤_____司机说，错了。司机说没错，这就是去首都机场的路。朋友一听，坏了，忙说，我不去首都机场，我去王府井（Wángfǔjǐng）的首都剧场。司机说，你刚才说的是去"首都机场"。我朋友才知道自己发音有问题，只好对司机说，对不起，我汉语说得不好，发音不清楚。

回到公司，大家问她去哪儿⑥_____，她⑦_____大家讲了这件事，大家都笑了。

我想不少外国留学生都会遇⑧_____这种叫人哭笑不得的事吧，要学⑨_____汉语，发音是非常重要的。

7 读后说 Read and express

早上起床一看，外边正在下雪，就想得早点出发，平时我一般七点才从家里走，今天怕迟到，不到六点就出来了。刚出门就摔了一跤，眼镜也掉在地上摔坏了。你说倒霉不倒霉。路上又碰上一起交通事故，我的车整整堵了二十分钟。快八点了才到办公室。差点儿迟到。

骑自行车的人多，有汽车的人也一年比一年多；有的人又不遵守交通规则，这是造成交通拥挤的主要原因。城市交通是一个大问题。小黄说，最好赶快发展地铁。我想也是。

补充生词　　Supplementary words

1. 得　　děi　　must；have to；need
2. 平时　　píngshí　　usual；ordinarily；normally
3. 怕　　pà　　for fear；to be worried

---

8 写汉字　　Learn to write

之	亠	之							
引	刁	引	引						
闭	门	闭							
油	氵	氵	沂	泃	油	油			
画	一	干	币	币	而	面	画	画	
倍	亻	亻	亻	伫	倍	位	倍		
镜	丿	亻	钅	钅	钅	铲	镜	镜	镜
摔	扌	扌	扩	扌	掖	掖	掖	掖	摔
碰	石	石	石	矿	矿	碎	碰	碰	

造	丶	牛	牛	生	告	造					
掉	扌	扩	扩	拄	掉						
遵	丷	丷	丷	芦	节	酋	酋	酋	尊	遵	
守	丶	宀	宁	守							
规	一	二	夫	夫	规						
则	丨	冂	贝	贝	贝	则					
保	亻	伫	保								

Buddest

Hitler

第九课	钥匙忘拔下来了

一 课文 Kèwén ● Text

星期天，我和麦克一起骑车到图书城去买书。图书城离我们学校比较远。那天刮风，我们骑了一个多小时才骑到。图书城很大，里边有很多书店。每个书店我都想进去看看。我们从一个书店走出来，又走进另一个书店。看到书店里有各种各样的书，我很兴奋。从这个书架上拿下来一本看看，再放上去，又从另一个书架上抽出来一本看看。我挑了几本历史书，麦克选了一些中文小说。我们都想买一些书带回国去，因为中国的书比我们国家的便宜得多。

除了买书以外，我还想买一些电影光盘。于是我们又走进一家音像书店。我问营业员，这里有没有根据鲁迅小说拍成的电影 DVD。她说，有，我给你找。不一会儿，她拿过来几盒光盘对我说，这些都是根据鲁迅小说拍成的电影。我对麦克说，下学期我就要学习鲁迅的小说了，我想买回去看看。我和麦克买了《药》和《祝福》等，还买了不少新电影的光盘。小姐见我们买的书和光盘太多，不好拿，就给我们俩一人找了一个小纸箱。我们买的书和光盘正好都能放进去。

从图书城出来，已经十二点多了。我和麦克走进一个小饭馆去吃午饭。我们要了一盘饺子，几个菜和两瓶啤酒，吃得很舒服。

吃完饭，我们就骑车回来了。回到学校，我又累又困，想赶快回到宿舍去洗个澡，休息休息。我从车上拿下小纸箱。走进楼来，看见电梯门口贴了张通知："电梯维修，请走楼梯。"我住十层，没办法，只好爬上去。我手里提着一箱子书，一步一步地往上爬。爬了半天才爬到十层。到了门口，我放下箱子，要拿出钥匙开门的时候，却发现钥匙不见了，找了半天也没有找到。啊！我忽然想起来了，钥匙还在楼下自行车上插着呢，我忘了拔下来了。这时，我真是哭笑不得。我刚要跑下楼去，就看见麦克也爬上来了，他手里拿的正是我的钥匙。

1. 图书城	（名）	túshūchéng	book bazaar
图书	（名）	túshū	book
2. 进去	（动）	jìnqu	to enter

＼3. 各种各样		gè zhǒng gè yàng	all sorts
各	(代)	gè	each
样	(量)	yàng	kind; type
＼4. 兴奋	(形)	xīngfèn	excited
＼5. 书架	(名)	shūjià	bookshelf
6. 下来	(动)	xiàlai	to come down; down (used behind a verb to indicate motion toward a lower or nearer position)
7. 抽	(动)	chōu	to take sth. from within; to take a part of the whole
8. 挑	(动)	tiāo	to choose; to select; to pick out
＼9. 选	(动)	xuǎn	to choose; to select; to pick
10. 小说	(名)	xiǎoshuō	novel
11. 回去	(动)	huíqu	to go back; to return; back (used after a verb to express a sense of returning)

Make a sentence. Homework.

12. 除了…以外		chúle…yǐwài	besides; apart from; except
13. 于是	(连)	yúshì	so; then; thereupon; hence
14. 音像	(名)	yīnxiàng	audiovisual
15. 这里	(代)	zhèli	here

	那里	（代）	nàli	there
16.	根据	（介）	gēnjù	on the basis of; according to
17.	拍	（动）	pāi	to shoot（a photograph, movie; etc.）
18.	盒	（量）	hé	box
19.	下	（名）	xià	next
20.	学期	（名）	xuéqī	school term
21.	纸箱	（名）	zhǐxiāng pijio	carton
	纸	（名）	zhǐ	paper
22.	饭馆	（名）	fànguǎn	restaurant, catery
23.	盘	（量）	pán	plate
24.	累	（形）	lèi	tired
25.	困	（形）	kùn	sleepy; exhausted
26.	电梯	（名）	diàntī	lift; elevator
27.	维修	（动）	wéixiū	to maintain and repair
	修	（动）	xiū	to repair
28.	楼梯	（名）	lóutī	stairs; stairway
29.	只好	（副）	zhǐhǎo	have to; cannot but
30.	提	（动）	tí	to carry in one's hand with the arm down
31.	步	（量）	bù	step
32.	钥匙	（名）	yàoshi	key
33.	却	（副）	què	but; yet
34.	忽然	（副）	hūrán	suddenly; quickly and un-

expectedly

35. 想起来		xiǎng qǐlai	to remember
起来	（动）	qǐlai	(used after a verb to indicate the completion of an action)
36. 插	（动）	chā	to stick in; to insert
37. 拔	（动）	bá	to pull out; to pull up
38. 哭笑不得		kū xiào bù dé	not to know whether to laugh or to cry; to find sth. both funny and annoying

专名　Zhuānmíng　**Proper Names**

1. 鲁迅	Lǔ Xùn	Lu Xun（a most famous writer in modern China）
2.《药》	《Yào》	*Medicine*（a novel by Lu Xun）
3.《祝福》	《Zhùfú》	*Blessing*（a novel by Lu Xun）

三　语法 Yǔfǎ ● Grammar

动作趋向的表达：复合趋向补语

Indicating the direction of an act: the compound complement of direction

趋向动词"上、下、进、出、回、过、起"加上"来"或"去"，放在另一动词后面作补语，叫复合趋向补语，表示动作的趋向。常用的复合趋向补语。如下表：

When a verb denoting directions such as "上，下，进，出，回，过" and "起" is followed by "来" or "去" and placed after another verb to function as a complement, it is a compound complement of direction. Such a complement indicates the direction of an act. Some common ones are listed below：

	上	下	进	出	回	过	起
来	上来	下来	进来	出来	回来	过来	起来
去	上去	下去	进去	出去	回去	过去	

我走上来的。

他们走过来，我们走过去。

他跑进来了。

这本书买回来了。

他跑出去了。

蝴蝶飞起来了。

他跑下去了。

他跳下来了。

"来/去"所表示的动作方向与说话人或所指事物之间的关系和简单趋向补语相同。例如：

The directions indicated by "来" and "去" are determined by the relationship between the speaker and the referred thing. The usage is the same as the simple complement of direction.

(1) 她走出学校去了。

(2) 他跑回家来了。

(3) 我买回来一本书。

(4) 我们买的书和光盘正好都能放进去。

动词有宾语时，如果宾语是表示处所的，一定要放在"来"或"去"之前。例如：

If the verb takes an object that denotes a place, the object must be placed before "来" or "去", e. g.

(5) 我看见他走进图书馆去了。

    不说：＊我看见他走进去图书馆了。

(6) 她们一起走出教室去了。

    不说：＊她们一起走出去教室了。

(7) 汽车开上山去了。

    不说：＊汽车开上去山了。

如果宾语是表示事物的，可以放在"来"或"去"之后，也可以放在"来"或"去"之前。例如：

If the object denotes things, it can be placed either before "来" or "去" or after them, e. g.

(8) 他从国外给我带回来一件礼物。

    他从国外给我带回一件礼物来。

（9）你看，我给你买回什么来了？

你看，我给你买回来什么了？

（10）姐姐从中国寄回来很多照片。

姐姐从中国寄回很多照片来。

如果动词不带宾语，"了"可以放在动词之后，补语之前，也可以放在句尾。例如：

If the verb does not take an object, "了" can be placed after the verb, before the complement or at the end of the sentence, e. g.

（11）刚一下课，同学们就都跑了出去。

也可以说：刚一下课，同学们就都跑出去了。

（12）看见老师走进教室，大家都站了起来。

也可以说：看见老师走进教室，大家都站起来了。

如果动词后有表示处所的宾语，"了"应该放在句末。例如：

If the verb takes an object that denotes place, "了" is placed at the end of the sentence, e. g.

（13）他们都爬上山去了。

（14）他们走下楼去了。

如果动词后有表示事物的宾语，"了"应该放在复合趋向补语之后，宾语之前。例如：

If the verb takes an object that denotes things, "了" is placed after the complement and before the object, e. g.

（15）我给你买回来了一件羽绒服。

（16）我给朋友寄回去了一本介绍中国的书。

四 练习 Liànxí ● Exercises ·····································

1 语音 Phonetics

(1) 辨音辨调 Pronunciations and tones

jìnqù   jìnqǔ   shūjià   shǔjià

yàoshi   yàoshì   yúshì   yíshì

yǐngxiàng yìnxiàng   zhǐhǎo   chī hǎo

(2) 朗读 Read out the following phrases

放上去　放下来　走进去　走出来　带回去　带回来

拿过去　拿过来　爬上去　跑下来　挑出来　拔下来

爬上楼去了　走下楼来了　　走进教室去了　走出学校去了

寄回国去了　骑回学校来了　跑过马路去了　飞回美国去了

2 替换 Substitution exercise

(1) A：咱们走下去吧。

B：好吧。

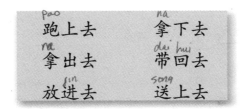

(2) A：他买回来了什么？

B：他买回来了一些 DVD。

(3) A：他从箱子里拿出来了什么？

B：他从箱子里拿出来了一张影碟。

飞机上	提下来	一个箱子
地上	捡起来	一把钥匙
书店	买回来	一本小说
汽车里	拿出来	一箱啤酒
邮局	取回来	一个包裹

(4) A：麦克去哪儿了？

B：我看见他走出校门去了。

走进食堂	跑上楼
跑下楼	走过桥
爬上山	走回宿舍

(5) A：你的钱取回来了没有？

B：还没有呢。

车钥匙	拔下来
包裹	取出来
电脑	买回来
报纸	拿上来
伊妹儿	发过去
词典	寄出去

❸ 选词填空 Choose the right words to fill in the blanks

除了 于是 只好 各 兴奋 哭笑不得 回 根据 学期

（1）收到他给我发来的伊妹儿，我非常 兴奋 。 excited

（2）我想买一些书带 回 国去。 take back

（3） 除 买书，我还想买一些电影和电视剧的 DVD。 except

（4）他想让我跟他一起去书店， 于是 我就跟他去了。 So

（5）这个电影是 根据 鲁迅的小说拍成的。 according to

（6）在中国一年有两个 学期 。 semester

（7）因为没得到奖学金，我 只好 回国。 have to

（8）语言大学的学生主要是从世界 各 国来的留学生。 different

（9）这种事真让人 哭笑不得 。 (Don't know if to be happy or sad.)

❹ 选择下列词组填空 Fill in the blanks with the following phrases

A. 从楼下(9) 从书架上(4) 从书包里(3) 从中国 10 从图书馆(2)
从国外(7) 从书店(1) 从朋友那儿(5) 从外边(8) 从香港(6)

（1） 从书店 买回一本词典来。

（2） 从图书馆 借回一些中文小说来。

（3） 从书包里 拿出来一本鲁迅的小说。

（4） 从书架上 拿下来一本杂志。

（5） 从朋友那儿 拿过一张影碟来。

（6） 从香港 给你带回一点儿礼物去。

（7） 从国外 寄回一本画报来。

（8） 从外边 拿进来一个箱子。

（9） 从楼下 提上来一箱子书。

(10) _____父中国_____给我寄来一件生日礼物。

B. 拿起来 9　提上来 7　拿下来 10　找出来 6　拿出来 1
　　取出来 2　捡起来 8　买回来 4　送上来 5　取回来 3

(1) 他从提包里___拿出来___一本护照。

(2) 玛丽从银行___取出来___五百美元。

(3) 妈妈寄的包裹你___取回来___了吗?

(4) 麦克从商店___买回来___一辆自行车。

(5) 服务员从楼下___送上来___一盆花。

(6) 她从箱子里___找出来___一件毛衣。

(7) 他从楼上___找上来___一个纸箱子。

(8) 我从地上___捡起来___一个钱包。

(9) 他从桌子上___拿起来___一副眼镜。

(10) 张东从书架上___拿下来___一本书。

5 在空格里填入适当的复合趋向补语

Fill in the blanks with appropriate compound complements of direction

(1) 我们爬了半个多小时，才爬_上去_，往山下一看，风景美极了。

(2) 小心点儿，别掉_下去_。

(3) 她不小心，从楼梯上摔_下来_，腿摔伤了。

(4) 太累了，我们找个地方，坐_下来_休息一会儿吧。

(5) 我看见前边走_过来_一个人，就走_过去_问她去图书城怎么走?

(6) 你别下来了，我给你搬_过去_。

(7) 她从口袋里拿 <u>出来</u> 一个钱包，又从钱包里拿
<u>出来</u> 五百块钱，放在我手里，说："快给你妈
妈寄 <u>回去</u> 吧，看病要紧。" 出去

(8) "救命啊！有人掉 <u>进去</u> 水里 <u>去</u> 了！"听见喊
声，他很快脱下上衣，跑了 <u>过去</u> 。人们看见他跳
<u>进去</u> 水 <u>里去</u> ，向那个孩子游了 <u>过去</u> 。

6 指出说话人在哪儿　Locate the speaker in the following sentences

例：衣服从楼上掉下来了。　　　说话人在：<u>下边</u>。
Beam

(1) 你看，他跑过去了。　　　　　说话人在：<u>这边</u>

(2) 您的行李已经给您搬上来了。　说话人在：<u>上边</u>

(3) 他的车开进来了。　　　　　　说话人在：<u>里边</u>

(4) 我们走上去吧。　　　　　　　说话人在：<u>下边</u>

(5) 书他已经提上去了。　　　　　说话人在：<u>下边</u>

(6) 你要的电脑我已经买回来了　　说话人在：<u>这边／里边</u>

(7) 她们爬上山去了。　　　　　　说话人在：<u>山下边</u>

(8) 钱我已经取回来了。　　　　　说话人在：<u>这边／里边</u>

去 → go away from
来 ← come to something

7 看图说话　Describe the pictures

<u>他才爬上走山。</u>
Cai pu　　*Shan*

<u>他跳下来了。</u>
Tiao

她 走 进 来 银行。
zou   yin hang

他 跑 进 来 了。

他 走 出 去 了。
zao

她 捡 起 来。
jian qi

他 跑 步 进 来
pao pu

火车 开 过 来 去 了。

to, dao

8 改错句　Correct the sentences

(1) 上课十分钟他才走进来教室。

_____

(2) 我看见她走出去图书馆了。

_____

(3) 孩子看见我，就向我跑过去。来

（4）他从箱子里拿出去一些光盘。

来

（5）我们的飞机马上就飞上去天了。

（6）妈妈病好了以后，我就送她回去上海了。

9 综合填空 Fill in the blanks

罗兰：

你好。我已经到了泰山，我是爬上① 来 的，没有坐缆车。登上泰山，真有"一览众山小"的感觉。我还在山上住了一夜，等第二天早上看日出，能站在泰山上看日出，我很高兴。当我们看到太阳一下子跳② 出来 的时候，都兴奋地大声叫了起来，真是美③ 极 了。下午，我又从泰山上走④ 下来 了。明天我要去曲阜参观孔庙和孔林。到那儿以后再给你介绍曲阜的情况。这次来旅行我很愉快，山东大学的朋友很热情，给了我很多帮助。

祝好

丹尼丝

7月28日

10 写汉字 Learn to write

各	⺈	夂	夂	各							
挑	扌	扌	扌	扌	挑	挑	挑				

选	丿	七	华	先	先	选			
除	阝	阶	阶	陉	除	除	除		
拍	扌	扩	扪	拍	拍	拍			
盒	个	合	合	舍	盒	盒	盒		
纸	纟	纟	纤	纸	纸				
累	丶	田	累	累	累	累	累	累	
困	丨	门	闲	困					
修	亻	伫	伫	修	修	修	修		
爬	爫	厂	爪	爬	爬	爬	爬		
钥	钅	钅	钥	钥	钥	钥			
匙	是	是	匙						
却	去	却	却						
拔	扌	扌	扨	拔	拔				
根	木	杞	相	根	根	根			
据	扌	护	护	据	据	据			

走下去

爬 跑步上来

Lesson 10

第十课	会议厅的门开着呢

■ 一 课文 Kèwén ● Text ·····························

（一）会议厅的门开着呢

（玛丽和麦克到会议中心去找一个朋友，他们在前台问服务员……）

玛　丽：请问，刚才进去一位小姐，你看见没有？

服务员：什么小姐？长得什么样？

玛　丽：她个子高高的，大概有一米七左右，黄头发，眼睛大
大的，戴着一副眼镜。上身穿着一件红色的西服，下
边穿着一条黑色的裙子。

服务员：是干什么的？

玛　丽：是电视台的主持人。

服务员：后边是不是还跟着两个小伙子，扛着摄像机？

玛　丽：对。

服务员：会议厅的门开着呢，你们进去找吧。

玛　丽：里边正开着会呢吗？

服务员：没有。你们看，是不是手里拿着麦克风，对着摄像机
讲话的那位？

玛　丽：对，就是她。他们正等着我们呢。

服务员：你们进去吧。

玛　丽：谢谢啦！

服务员：不客气。

（二）墙上贴着红双喜字

（麦克参加了一个中国朋友的婚礼……）

玛丽：你昨天去哪儿了？

麦克：张东带我去参加了一
个中国人的婚礼。

玛丽：怎么样？听说中国人
的婚礼很热闹。

麦克：是！我是第一次看到
这样的婚礼。屋子里挂着大红灯笼，墙上贴着一个很大
的红双喜字。桌子上摆着很多酒和菜。新娘长得很漂
亮，穿着一件红棉袄，头上还戴着红花。新郎是一个帅
小伙儿，穿着一身深蓝色的西服，打着红领带。他们笑

着对我们说"欢迎、欢迎"。新娘热情地请客人吃糖，新郎忙着给客人倒喜酒。孩子们不停地说着笑着，热热闹闹的，气氛非常好。

玛丽："喜酒"是什么酒？

麦克：结婚时喝的酒中国人叫喜酒，吃的糖叫喜糖。所以，中国人要问："什么时候吃你的喜糖啊"，就是问你什么时候结婚。

玛丽：是吗？

二　生词 Shēngcí ● New Words ·····································

1. 会议厅	（名）	huìyìtīng	conference（or assembly）hall
厅	（名）	tīng	hall
2. 中心	（名）	zhōngxīn	center
3. 服务员	（名）	fúwùyuán	attendant；steward；waiter
4. 长	（动）	zhǎng	to grow；to develop
5. 个子		gèzi	height；stature
6. 左右	（助）	zuǒyòu	（used after a numeral to indicate an approximate number）about；or so
7. 戴	（动）	dài	to adorn；（wear sth. on the head，face，neck，chest，arm，etc.）
8. 着	（助）	zhe	（indicating the continuation of an action or a state）
9. 副	（量）	fù	pair

10.	穿	（动）	chuān	to wear
11.	西服	（名）	xīfú	western suit
12.	裙子	（名）	qúnzi	skirt
13.	干	（动）	gàn	to do
14.	主持人	（名）	zhǔchírén	host or hostess；archorperson
	主持	（动）	zhǔchí	to preside over；to take charge of
15.	小伙子	（名）	xiǎohuǒzi	young man；lad
16.	扛	（动）	káng	to carry（on shoulder）；to shoulder
17.	摄像机	（名）	shèxiàngjī	video camera
18.	麦克风	（名）	màikèfēng	microphone
19.	讲话		jiǎng huà	to speak；to talk
20.	墙	（名）	qiáng	wall
21.	喜	（形）	xǐ	happy
22.	婚礼	（名）	hūnlǐ	wedding
23.	热闹	（形）	rènao	lively
24.	挂	（动）	guà	to hang
25.	灯笼	（名）	dēnglong	lantern
26.	摆	（动）	bǎi	to put；to place
27.	新娘	（名）	xīnniáng	bride
28.	棉袄	（名）	mián'ǎo	short coat
29.	新郎	（名）	xīnláng	bridegroom
30.	帅	（形）	shuài	handsome；smart
31.	领带	（名）	lǐngdài	necktie
32.	热情	（形）	rèqíng	warm

33.	客人	（名）	kèrén	guest
34.	倒	（动）	dào	to pour
35.	不停	（副）	bùtíng	incessantly
36.	气氛	（名）	qìfēn	atmosphere

三 语法 Yǔfǎ ● Grammar ··········

动作或状态的持续：动词＋着

Indicating the continuation of an act or state：Verb ＋着

动词后边加动态助词"着"，主要用于表示动作或状态的持续。交际中主要用于描写。例如：

When a verb is followed by the particle "着", it indicates that the act or the state is still continuing. In communication it is used to make a description, e. g.

(1) 同学们走着，说着，笑着，可热闹啦。

（描写动作的进行并持续的状态）

(2) 他正在往墙上贴着红双喜字。

（动作"贴"在进行并持续的状态）

(3) 墙上贴着红双喜字。

（动作"贴"进行后，红双喜字处于"贴着"的状态）

(4) 她正在里面穿着衣服呢，请等一会儿。

（动作"穿"在进行并持续的状态）

(5) 她穿着一件红西服。

（"穿"的动作进行后，"红西服"存续的状态）

否定式是"没（有）……着"。但交际中很少用。

The negative form is "没（有）…着", but is not often used.

(6) 老师没在前面坐着，他站着呢。

（7）教室的门没开着。

（8）书上没写着名字，不知道是谁的书。

> 正反疑问句：动词＋着＋没有？
>
> The affirmative-negative question form：Verb ＋ 着 ＋ 没有？

（9）里边开着会没有？

（10）墙上挂着地图没有？

"动词＋着"用于连动句的第二个动词前，用来说明第二个动作进行时的状态或方式。例如：

"Verb ＋ 着" may also be used before the second verb in a sentence with serial verbs. Its function is to describe the state or manner of the second act, e. g.

（11）她正在前边站着讲话呢。

（12）她笑着对我说："欢迎！欢迎！"

（13）那里离这儿不远，我们走着去吧。

"动词＋着"常和"正在"、"正"、"在"、"呢"等词连用。

"Verb ＋ 着" is often used together with "正在"，"正"，"在"，"呢" etc., e. g.

（14）里边正上着课呢。

（15）她来时，我正在躺着看书呢。

四 练习 Liànxí ● Exercises

1 语音 Phonetics

（1）辨音辨调 Pronunciations and tones

huìyì	huíyì	zhōngxīn	zhòngxīn
hūnlǐ	shùnlì	rènao	rě nǎo
bùtíng	bù tīng	qìfēn	qìfèn

（2）朗读　Read out the following phrases

倒酒　　　　倒水　　　　　倒茶　　　　倒咖啡

听着　看着　　说着　坐着　　走着　笑着　　站着　玩着　等着

拿着　放着　　摆着　挂着　　穿着　戴着　　贴着　躺着　提着

挂着灯笼　　　挂着地图　　　挂着衣服　　　挂着画

穿着西服　　　穿着裙子　　　戴着手表　　　戴着眼镜

带着照相机　　带着护照　　　带着孩子　　　带着学生

做着作业　　　打着手机　　　上着课　　　　吃着饭

坐着听课　　　站着上课　　　躺着看书　　　笑着回答

2 替换　Substitution exercises

（1）A：会议中心的门开（关）着呢吗？

　　B：开着呢。（关着呢。）

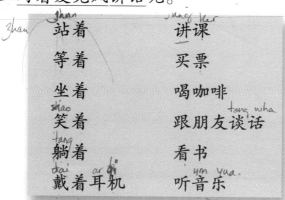

学校大门	教室的门
屋子里灯	你的手机
里边的电视	你的电脑

（2）A：她在干什么呢？

　　B：她正对着麦克风讲话呢。

站着	讲课
等着	买票
坐着	喝咖啡
笑着	跟朋友谈话
躺着	看书
戴着耳机	听音乐

(3) A：她<u>穿着</u>什么？

B：她穿着一件红色的西服。

chang 穿着	tiao 一条	hei 黑裙子
穿着	一件	白衬衫
提着	一盒	点心
dai 戴着	一副	眼镜
扛着	一个	she xiang ji 摄像机
na 拿着	一个	照相机

(4) A：<u>屋子里</u><u>挂着</u>什么？

B：屋子里挂着<u>大红灯笼</u>。

墙上	贴着	一个红双喜字
教室里	贴着	中国地图
门口	摆着	很多花儿
桌子上	放着	一盒点心
马路边	停着	自行车
汽车里	坐着	四个人

(5) zi 她在<u>认真</u>ta <u>地</u>看书。

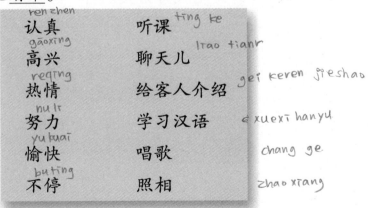

ren zhen 认真	ting ke 听课
gaoxing 高兴	liao tianr 聊天儿
reqing 热情	gei keren jieshao 给客人介绍
nu li 努力	xuexi hanyu 学习汉语
yu kuai 愉快	chang ge 唱歌
bu ting 不停	zhao xiang 照相

3 选词填空　Choose the right words to fill in the blanks

气氛　戴　中心　开　挂　摆　笑　西服

(1) 她__挂__着一副隐形眼镜。

(2) 天安门在北京市__中心__。

(3) 里边正__开__着教学研讨会呢。

(4) 穿蓝__西服__的那位就是我的老师。

(5) 会上，教授们在认真地讨论，会议的_____很好。

(6) 房间的墙上_____着一张油画。

(7) 我的桌子上__摆__着全家的照片。

(8) 她对人很热情，总是__笑__着跟人说话。

4 用"动词 + 着"填空　Fill in the blanks with "Verb + 着"

(1) 我看见她在一张桌子前__坐着__，跟对面的一个人高兴地__喝着__茶，__说着__话。

(2) 王老师正在教室前边__教着__上课呢。

(3) A：你忙什么呢？

　　B：我正__做着__饭呢。

(4) 慢点儿，别着急，我们__等着__你。

(5) A：玛丽怎么没来？

　　B：我刚给她打过电话，她已经出门了，现在可能正在路上__走着__呢。

(6) 这家门前__挂着__一个红双喜字。

(7) 他的 T 恤衫上__印着__几个汉字："不到长城非好汉"。

(8) 我__提着__一纸箱子书和光盘一步一步地往楼上爬。

5 用"了"、"着"、"过"填空　Fill in the blanks with "了", "着" or "过"

(1) 昨天的晚会上，玛丽唱_____了_____一个歌。

(2) 她去年来_____过_____一次中国，今年又来_____了_____。

(3) 很多父母带_____着_____孩子来参观这个展览。

(4) 我只去_____了_____一次北京，还没去_____了_____上海。

(5) 我给你买来_____了_____一件生日礼物，不知道你喜欢不喜欢。

(6) 这个地方我们以前没来_____过_____。

(7) 我们下_____了_____课就去买票吧。

(8) 她穿_____着_____一条裙子。

6 改错句　Correct the sentences

(1) 他吃了饭就躺着床上。
　　　　　　　　在
_____

(2) 我一进他的房间就看见挂着墙上的画。
　　　　　　　　　　　　　在
_____

(3) 他已经病着一个多星期了。
　　　　　过
_____

(4) 我们坐着房间里谈话。
　　我们正在谈话。
_____

(5) 中国的商店星期日也不关着门，非常好。
_____

(6) 她穿着一件红大衣在身上。
_____

7 综合填空 Fill in the blanks

王老师已经好几天没有①___给___我们上课了，因为他有病住院了。老师住院以后，我们班的学生都去医院看②___过___他，我们都希望老师能早点儿好，因为我们觉得他是个好老师。对我们就像对自己的儿女一样。

今天早上，我③___一___走进教室，就看见王老师在讲桌旁边儿站④___着___。我高兴⑤_____向老师问了一声好。我问："老师，您什么时候出院的？"

"我前天出的院。听说你也病了，好⑥___了___吗？"

"好了。老师，您要保重身体！"

"谢谢你！"

这时，同学们都走进教室⑦___来___了，大家看到王老师又能给我们上课了，都很高兴。老师也高兴地和大家谈⑧___着___话，问每个同学的情况。我们都知道王老师刚出院，身体还不太好。

上课铃响了。

大家一起大声地说："老师好！"王老师笑⑨___着___点了点头，也对我们说："同学们好！"

老师拿起书要开始讲课了。山本搬了一把椅子，走到老师面前，说："老师，今天请您坐⑩___着___讲吧。"

王老师说："谢谢，我不累，我不习惯坐着上课。"王老师没有坐。

"老师，请您坐下讲吧！"这时，班长带着全班同学一起大声地说。

王老师有点儿激动地看着我们说："谢谢大家，谢谢同学们！"

扛	扌	扛									
伙	亻	伙									
挂	扌	圭	扗	拝	挂						
摆	扌	扎	扣	押	押	摆					
摄	扌	扌	扣	扣	抧	揖	摄	摄			
穿	宀	宀	宀	宊	空	穿					
裙	丶	衤	衤	衤	祀	袙	袡	袢	裙		
讲	讠	讠	讠	讲	讲						
娘	女	妁	妌	妒	娘	娘	娘				
郎	丶	亠	亖	良	良	郎	郎				
帅	丨	丩	归	归	帅						

附录：

第一课　Lesson 1

6. **改错句**　Correct the sentences

（1）他们的生活比以前好。

（2）玛丽考得比我好。/玛丽比我考得好。/玛丽的成绩比我的好。

（3）她说得比我好得多。

（4）弟弟没有我高。/弟弟不比我高。

（5）他们不比我们来得早。/他们来得没有我们早。

（6）麦克比我高一点儿。

第二课　Lesson 2

7. **改错句**　Correct the sentences

（1）他写汉字写得跟你一样好。

（2）我们班的学生跟他们班一样多。

（3）爸爸跟妈妈一样，身体也很好。/爸爸妈妈身体都很好。

（4）今天跟昨天一样冷。

（5）我们国家的气候跟中国一样。

（6）我的书包跟他的颜色一样。

第三课　Lesson 3

7. **改错句**　Correct the sentences

（1）姐姐下个月就要结婚了。

（2）我们八点就要上课了。/我们快要上课了。

（3）天要冷了，我该买冬天的衣服了。

（4）听说我快要回国了，妈妈很高兴。

（5）姐姐跟一个公司职员结了婚。

（6）她是一个很好的老师，我们都很喜欢她。

第四课　　Lesson 4

6. **改错句**　Correct the sentences

（1）玛丽回宿舍拿照相机去了。

（2）林老师已经上车了。/林老师已经上来了。

（3）他下星期就回美国去了。

（4）要是你回学校来，就给我打电话。

（5）他进展览馆去了。

（6）他喜欢来（我的房间）跟我聊天儿。

第五课　　Lesson 5

6. **改错句**　Correct the sentences

（1）从九月开始，我开始在这个大学学汉语。

（2）我每天都读一遍课文。

（3）来中国以后，我没有看过病。

（4）我朋友来中国了，上星期我去看过他。

（5）我们见过一次面。

（6）这个中国电影我在电视上看过。

第六课　　Lesson 6

8. **改错句**　Correct the sentences

（1）你是什么时候来的中国？/你是什么时候来中国的？

（2）我是在操场看见玛丽的。

（3）他是今年九月来中国的。

（4）我不是坐火车来中国的。

（5）她是前天下午到的上海。

（6）我汉字写得马马虎虎。

（7）我们是坐汽车去博物馆参观的。

（8）我是和朋友一起去的大使馆。

第七课　Lesson 7

6. 改错句　Correct the sentences

（1）昨天晚上，我工作到十点。

（2）这张唱片我一听完就还给你。

（3）老师的电话号码我忘了，因为我没记在本子上。

（4）我下了飞机就看见了爸爸。／我一下飞机就看见了爸爸。

（5）我打算在这儿学习到明年七月。

（6）她进步很大，现在已经能听懂老师的话了。

第八课　Lesson 8

5. 改错句　Correct the sentences

（1）照相机我不小心摔坏了。

（2）今天的作业我已经做完了。

（3）上完课我就去商店买衣服。／下了课我就去商店买衣服。

（4）我的自行车朋友借去了。／我的自行车让朋友借去了。

（5）黑板上的字你看清楚了吗？／你看见黑板上的字了吗？

（6）那本书找了很长时间也没找到。

6. 综合填空　Filling the blanks

（1）了　（2）给　（3）往　（4）了　（5）对　（6）了

（7）给　（8）到　（9）好

第九课　Lesson 9

8. 改错句　Correct the sentences

（1）上课十分钟了他才走进教室。／上课十分钟了他才进教室。

（2）我看见她走出图书馆去了。

（3）孩子看见我，就向我跑过来。

（4）他从箱子里拿出来一些影碟。

（5）我们的飞机马上就要起飞了。/飞机马上就要起飞了。

（6）妈妈病好了以后，我就送她回上海了。

9. **综合填空**　Filling the blanks

（1）来/去　　（2）出来　　（3）极　　（4）下来

第十课　Lesson 10

6. **改错句**　Correct the sentences

（1）他吃了饭就躺在床上。

（2）我一进他的房间就看见了挂在墙上的画。

（3）他已经病了一个多星期了。

（4）他们在房间里坐着谈话呢。/我们正在谈话呢。

（5）中国的商店星期日也不关门，非常好。

（6）她穿着一件红大衣。

7. **综合填空**　Filling the blanks

（1）给　（2）过　（3）一　（4）着　（5）地　（6）了　（7）来

（8）着　（9）着　（10）着

词汇表　Vocabulary

哎呀	（叹）	āiyā	3	表	（名）	biǎo	3
爱	（动）	ài	3	别提了		bié tí le	8
爱人	（名）	àiren	4	不但…而且…		búdàn…érqiě…	2
安排	（动、名）	ānpái	6	不停	（副）	bùtíng	10
按摩	（动）	ànmó	5	步	（量）	bù	9
拔	（动）	bá	9	曾经	（副）	céngjīng	5
白薯	（名）	báishǔ	5	插	（动）	chā	9
白天	（名）	báitiān	7	差（一）点儿		chà（yì）diǎnr	8
摆	（动）	bǎi	10	产生	（动）	chǎnshēng	2
办事		bàn shì	4	成	（动）	chéng	7
半天	（名）	bàntiān	7	承认	（动）	chéngrèn	7
帮	（动）	bāng	6	城市	（名）	chéngshì	1
帮助	（动、名）	bāngzhù	6	程度	（名）	chéngdù	7
棒	（形）	bàng	7	迟到	（动）	chídào	3
保证	（动）	bǎozhèng	8	抽	（动）	chōu	9
倍	（量）	bèi	8	出来	（动）	chūlai	8
鼻子	（名）	bízi	6	出去	（动）	chūqu	2
比	（介）	bǐ	1	出土		chū tǔ	4
闭	（动）	bì	8	除了…以外		chúle…yǐwài	9
避暑		bì shǔ	3	穿	（动）	chuān	10
变	（动）	biàn	1	春（天）	（名）	chūn（tiān）	2
变化	（名、动）	biànhuà	1	辞职		cí zhí	7

故乡	（名）	gùxiāng	6	会议	（名）	huìyì	10
刮风		guā fēng	2	婚礼	（名）	hūnlǐ	10
挂	（动）	guà	10	活动	（名、动）	huódòng	6
光	（副）	guāng	1	极了		jí le	5
规则	（名）	guīzé	8	季节	（名）	jìjié	2
国家	（名）	guójiā	2	家	（尾）	jiā	5
过来	（动）	guòlai	4	家庭	（名）	jiātíng	1
过去	（动）	guòqu	4	家乡	（名）	jiāxiāng	3
过去	（名）	guòqù	1	假期	（名）	jiàqī	6
还	（副）	hái	1	捡	（动）	jiǎn	3
过	（助）	guo	5	建筑	（动、名）	jiànzhù	1
好	（副）	hǎo	5	将来	（名）	jiānglái	3
好好儿	（副）	hǎohāor	7	讲话		jiǎng huà	10
好事	（名）	hǎoshì	3	交	（动）	jiāo	7
好听	（形）	hǎotīng	5	教学	（名）	jiàoxué	4
盒	（量）	hé	9	结婚		jié hūn	3
红叶	（名）	hóngyè	3	锦标赛	（名）	jǐnbiāosài	7
后天	（名）	hòutiān	6	进去	（动）	jìnqu	9
忽然	（副）	hūrán	9	经常	（副）	jīngcháng	6
互相	（副）	hùxiāng	6	经过	（动）	jīngguò	4
护照	（名）	hùzhào	7	经历	（名、动）	jīnglì	5
滑冰		huá bīng	3	经营	（动）	jīngyíng	3
滑雪		huá xuě	3	精神	（形）	jīngshen	7
画册	（名）	huàcè	2	开车		kāi chē	4
坏	（形）	huài	3	开放	（动）	kāifàng	2
坏事	（名）	huàishì	3	开会		kāi huì	4
还	（动）	huán	5	扛	（动）	káng	10
回去	（动）	huíqu	9	烤	（动）	kǎo	5

烤鸭	（名）	kǎoyā	5	马上	（副）	mǎshàng	4
靠	（动）	kào	3	嘛	（助）	ma	5
可	（副）	kě	7	麦克风	（名）	màikèfēng	10
可是	（连）	kěshì	1	脉	（名）	mài	5
客人	（名）	kèren	10	慢	（形）	màn	4
口袋	（名）	kǒudai	7	门口	（名）	ménkǒu	4
哭笑不得		kū xiào bù dé	9	迷	（动、名）	mí	1
苦	（形）	kǔ	5	棉袄	（名）	mián'ǎo	10
困	（形）	kùn	9	民歌	（名）	míngē	1
落	（动）	là	7	名曲	（名）	míngqǔ	1
啦	（助）	la	3	摸	（动）	mō	5
老	（形）	lǎo	2	母亲	（名）	mǔqin	3
老板	（名）	lǎobǎn	6	那里	（代）	nàli	9
老外	（名）	lǎowài	6	那样	（代）	nàyàng	3
累	（形）	lèi	9	年轻	（形）	niánqīng	1
冷	（形）	lěng	2	暖和	（形）	nuǎnhuo	1
离婚		lí hūn	3	暖气	（名）	nuǎnqì	1
历史	（名）	lìshǐ	2	拍	（动）	pāi	9
利用	（动）	lìyòng	6	盘	（量）	pán	9
凉快	（形）	liángkuai	3	佩服	（动）	pèifu	7
领带	（名）	lǐngdài	10	碰	（动）	pèng	8
流行	（动）	liúxíng	1	漂亮	（形）	piàoliang	1
楼梯	（名）	lóutī	9	期间	（名）	qījiān	7
落	（动）	luò	3	起	（量）	qǐ	8
旅馆	（名）	lǚguǎn	1	起来	（动）	qǐlai	9
旅行社	（名）	lǚxíngshè	6	气氛	（名）	qìfēn	10
旅游	（动）	lǚyóu	3	气温	（名）	qìwēn	1
麻烦	（动）	máfan	4	签证	（名）	qiānzhèng	7

前天	（名）	qiántiān	6	世界杯	（名）	Shìjièbēi	7
墙	（名）	qiáng	10	事故	（名）	shìgù	8
亲耳	（副）	qīn'ěr	5	收集	（动）	shōují	6
亲眼	（副）	qīnyǎn	7	手提包	（名）	shǒutíbāo	7
清楚	（形）	qīngchu	4	书架	（名）	shūjià	9
秋（天）	（名）	qiū（tiān）	2	暑假	（名）	shǔjià	1
球迷	（名）	qiúmí	7	树叶	（名）	shùyè	3
区	（名）	qū	3	摔	（动）	shuāi	8
曲	（名）	qǔ	5	摔跤		shuāi jiāo	8
却	（副）	què	9	帅	（形）	shuài	10
裙子	（名）	qúnzi	10	双喜	（名）	shuāngxǐ	10
热	（形）	rè	2	送	（动）	sòng	4
热闹	（形）	rènao	10	算	（动）	suàn	7
热情	（形）	rèqíng	10	糖	（名）	táng	5
人家	（名）	rénjiā	3	糖葫芦	（名）	tánghúlu	5
人口	（名）	rénkǒu	1	趟	（量）	tàng	4
商量	（动）	shāngliang	6	提	（动）	tí	9
上班		shàng bān	8	天气	（名）	tiānqì	1
上来	（动）	shànglai	4	甜	（形）	tián	5
上去	（动）	shàngqu	9	挑	（动）	tiāo	9
捎	（动）	shāo	4	贴	（动）	tiē	7
摄像机	（名）	shèxiàngjī	10	铁路	（名）	tiělù	6
声	（量、名）	shēng	4	听写	（动）	tīngxiě	2
声调	（名）	shēngdiào	6	停	（动）	tíng	3
师傅	（名）	shīfu	4	通知	（名、动）	tōngzhī	7
什么的	（助）	shénmede	5	头发	（名）	tóufa	6
时差	（名）	shíchā	2	图书	（名）	túshū	9
世界	（名）	shìjiè	1	图书城	（名）	túshūchéng	9

为了	（介）	wèile	7	新娘	（名）	xīnniáng	10
维修	（动）	wéixiū	9	兴奋	（形）	xīngfèn	9
未婚夫	（名）	wèihūnfū	3	需要	（动、名）	xūyào	6
未婚妻	（名）	wèihūnqī	3	选	（动）	xuǎn	9
文物	（名）	wénwù	4	学期	（名）	xuéqī	9
问好		wèn hǎo	4	雪	（名）	xuě	2
屋子	（名）	wūzi	1	呀	（助）	ya	6
西服	（名）	xīfú	10	研究	（动、名）	yánjiū	2
希望	（动、名）	xīwàng	6	研究生	（名）	yánjiūshēng	6
洗	（动）	xǐ	8	研讨	（动）	yántǎo	4
喜	（名）	xǐ	10	研讨会	（名）	yántǎohuì	4
细	（形）	xì	5	眼睛	（名）	yǎnjing	6
下	（动）	xià	9	眼镜	（名）	yǎnjìng	8
下班		xià bān	8	演奏	（动）	yǎnzòu	5
下来	（动）	xiàlai	9	样	（量）	yàng	9
下雪		xià xuě	2	遥远	（形）	yáoyuǎn	1
下雨		xià yǔ	2	药方	（名）	yàofāng	5
夏（天）	（名）	xià（tiān）	2	要求	（动、名）	yāoqiú	4
现代	（名）	xiàndài	1	也许	（副）	yěxǔ	1
想起来		xiǎng qǐlai	9	叶	（名）	yè	3
向	（介）	xiàng	4	夜	（名）	yè	2
像	（动）	xiàng	7	一…就…		yī…jiù…	6
小伙子	（名）	xiǎohuǒzi	10	一切	（形、代）	yíqiè	2
小说	（名）	xiǎoshuō	9	一样	（形）	yíyàng	2
小提琴	（名）	xiǎotíqín	5	音像	（名）	yīnxiàng	9
协奏曲	（名）	xiézòuqǔ	5	引起	（动）	yǐnqǐ	8
辛苦	（形、动）	xīnkǔ	4	营业	（动）	yíngyè	7
新郎	（名）	xīnláng	10	拥挤	（动、形）	yōngjǐ	8

尤其	（副）	yóuqí	3	之一		zhī yī	8
油画	（名）	yóuhuà	8	只好	（副）	zhǐhǎo	9
有名	（形）	yǒumíng	3	只是	（副）	zhǐshì	2
有些	（代）	yǒuxiē	1	纸	（名）	zhǐ	9
于是	（连）	yúshì	9	纸箱	（名）	zhǐxiāng	9
预报	（动、名）	yùbào	1	治	（动）	zhì	5
原因	（名）	yuányīn	8	中餐	（名）	zhōngcān	5
钥匙	（名）	yàoshi	9	中成药	（名）	zhōngchéngyào	5
暂停	（动）	zàntíng	7	中心	（名）	zhōngxīn	10
造成	（动）	zàochéng	8	中医	（名）	zhōngyī	5
增加	（动）	zēngjiā	1	周末	（名）	zhōumò	2
扎针		zhā zhēn	5	主持人	（名）	zhǔchírén	10
展览	（动、名）	zhǎnlǎn	4	主要	（形）	zhǔyào	8
展览馆	（名）	zhǎnlǎnguǎn	4	住院		zhù yuàn	5
长	（动）	zhǎng	10	注意	（动）	zhùyì	4
着	（动）	zháo	7	准	（动）	zhǔn	7
着急	（形）	zháojí	3	着	（助）	zhe	10
照	（动）	zhào	8	着呢	（助）	zhene	3
照相		zhào xiàng	4	自由	（形）	zìyóu	6
照相机	（名）	zhàoxiàngjì	4	组织	（动、名）	zǔzhī	6
这里	（代）	zhèli	9	最	（副）	zuì	1
这样	（代）	zhèyàng	3	最后	（名）	zuìhòu	7
针灸	（动、名）	zhēnjiǔ	5	遵守	（动）	zūnshǒu	8
整	（形）	zhěng	8	左右	（助）	zuǒyòu	10
正常	（形）	zhèngcháng	7	座位	（名）	zuòwèi	4

专有名词 Proper Names